SAPOR
ROY
DE PERSE.

TOME II.

A PARIS,

Chez **Charles le Clerc**, à l'entrée
du Quay des Auguſtins, à la
Toiſon d'Or.

M. DCC. XXX.

Avec Approbation & Privilege du Roy.

SAPOR ROY DE PERSE.

SECONDE PARTIE.

LIVRE PREMIER.

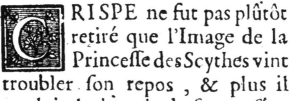RISPE ne fut pas plûtôt retiré que l'Image de la Princeſſe des Scythes vint troubler ſon repos , & plus il vouloit la bannir de ſa penſée, plus elle s'y preſentoit avec tant de graces & de charmes , qu'il étoit contraint d'avoüer qu'elle

Tome II.   A

surpaſſoit tout ce qu'il avoit vû de beau, & de merveilleux juſques alors.

Après qu'il eut tâché inutilement de ſe délivrer d'un ſouvenir ſi doux & ſi importun tout enſemble: Quel mouvement extraordinaire & inconnu, dit-il en ſoi-même, commence à m'inquiéter ! ſerois-je enfin du nombre de ceux qui aiment ? Moi qui croyois toujours pouvoir vaincre une paſſion qui ſemble invincible, qui ne voulois m'attacher qu'à la gloire, & qui n'étant point deſtiné pour Hypante, dois toujours demeurer libre pour être toujours heureux. Je ne vois, parmi les Amans que du trouble, de l'inquiétude, des malheurs, & ſouvent des violences & des perfidies.

Ce Prince auroit demeuré plus long-temps dans ce ſentiment,

ſi l'amour qui commençoit à s'in-
troduire dans ſon cœur , ne l'eut
forcé de le changer , & de condamner des penſées ſi injurieuſes
à une paſſion qui lui paroiſſoit
déja ſi noble,& ſi puiſſante. Mais
dans le même tems qu'il avoüoit
qu'elle étoit digne des plus bel-
les ames , il croyoit qu'elle s'op-
poſoit ſouvent aux grands deſſeins des Heros, & il employa
toute la force de ſon eſprit pour
ne la reſſentir jamais. Il s'imagina peu après qu'il l'avoit vain-
cuë ; & de crainte que s'il voyoit
long-temps la Princeſſe des Scythes il ne pût réſiſter à ſes at-
traits , il réſolut de lui donner
la liberté dès le lendemain même.

La belle Hypante d'autre cô-
té, ne pouvoit ſe reſſouvenir de
Criſpe ſans admiration ; avoüez
Oziane, diſoit-elle , à une de ſes

filles à qui elle se confioit entierement , qu'un procedé auſſi extraordinaire qu'eſt celui du Prince des Romains , répond bien à
la réputation qu'il s'eſt acquiſe
par tout. Je ne ſçaurois preſque
douter qu'une ame auſſi grande
que la ſienne ne porte ſa généé-
ſité encore plus loin, ainſi qu'il
me l'a voulu faire eſperer par ſes
paroles. Il eſt vrai, Madame,
répondit Oziane, qu'il n'y a rien
de ſi genereux que de s'expoſer
à un péril évident pour vous retirer du milieu des flâmes , ſans
vous avoir jamais vûë. Oſerai-je
vous dire , Madame, continua-
t-elle , ſans faire tort à notre
Nation ni à toutes les autres, que
rien n'égale la vertu des Romains,
& qu'il ſemble que les actions les
plus grandes , & les plus difficiles leur ſont naturelles , & ne
leur coûtent preſque rien ? Ah !

dit alors Hypante, en l'inter-
rompant, ne confondez point la
gloire de Crispe avec celle des
Romains, les vertus de ce Prince font trop singulieres, & trop
extraordinaires pour n'être pas
fans comparaifon, ainfi qu'elles
font, & peut-être fans exemple.
Il ne doit des avantages fi peu
commun qu'aux Dieux qui ont
eu le deffein d'en faire un Prince
fi accompli ; & je ne doute point
que s'il étoit né parmi les peuples les plus fauvages, il n'eut été
capable d'auffi grandes chofes
que nous venons de voir, & que
la renommée publie de lui.

C'étoient à peu près les fentimens que Crispe & Hypante
avoient l'un de l'autre ; & ils
pafferent tous deux la nuit avec
cette difference , qu'Hypante
n'avoit encore qu'une eftime, &
qu'une reconnoiffance pour Crif-

pe , qui ne lui ôtoient pas le repos , & que Crifpe avoit pour
elle une admiration , & un commencement d'amour qui l'empêchoient de s'abandonner au
fommeil.

A peine le jour commença de
paroître que Crifpe fe fit habiller , durant que les principaux
Officiers de fon Armée , étant
venus dans fa chambre , lui ren-
doient compte de ce qui s'étoit
paffé au Camp, & dans la Ville.
Il fut bien aife d'apprendre que
tout étoit calme. Il ne fongeoit
plus qu'à voir la Princeffe des
Scythes , pour exécuter ce qu'il
avoit réfolu, fe fortifiant de toute fa puiffance contre des charmes qu'il craignoit , & qu'il défiroit néanmoins de revoir , lorfque divers coureurs vinrent l'a-
vertir que l'Armée navale de
Perfe avoit paru un peu avant

le jour à l'emboucheure du Fleuve Rha , & avoit commencé à
débarquer des troupes , à quoi
le peu de Romains qui gardoient
le Fleuve en ce lieu n'avoient pû
s'oppofer. Le Prince , fans s'é-
tonner , ne fçût que juger de la
conduite du Roi de Perfe , avec
qui nous étions alors en paix ;
néanmoins il ne voulut rien né-
gliger , & il commanda une partie de l'Armée pour aller recevoir les Perfans, & pour les faire
expliquer fur le deffein qui les
amenoit. Il ne fut pas long-temps
fans en être éclairci : à peine fe
mettoit-on en état de fatisfaire
à ce commandement qu'on lui
prefenta un Officier Perfan , accompagné d'un Trompette qui
lui donna un Billet de la part de
Varandanes , où il trouva ces
paroles.

A iiij

SAPOR VARANDANES

Roy des Perses, des Medes, & des Parthes; participant au Ciel & frere du Soleil:

A CRISPE CESAR,

NOTRE TRES-CHER FRERE.

L'Honneur que j'ai d'être Fils de la Sœur du grand Constantin, dont vous tenez la Naissance, & que vous imitez si bien en toutes choses, & la paix qui est entre les Perses & les Romains, font que je n'ai point dessein de faire aucun acte d'hostilité dans les lieux de vos nouvelles conquêtes; j'y viens seulement vous offrir tout ce qui dépend de moi pour la liberté de la Princesse des Scythes, qui m'est destinée par le

Roi son Pere, comme vous sçavez sans doute. Vous ne me demanderez rien pour sa rançon que je ne vous accorde, & il n'est rien pour sa liberté que je ne sois résolu de faire.

SAPOR.

Crispe ne voulut pas répondre à ce Billet qu'il ne l'eut fait voir à Hypante : il alla à son appartement , & la trouva déja habillée. Après qu'elle eut vû ce que Varandanes écrivoit, Madame, lui dit Crispe, j'ai sujet de me plaindre de mon malheur, qui fait venir le Roi de Perse, dans le temps que j'allois vous rendre au Roi votre Pere. Je ne puis vous remettre à Varandanes , sans offenser ma gloire , puisqu'il pourra dire qu'il m'y a forcé. Néanmoins , Madame, poursuivit-il, si vous le

désirez, je ne m'y opposerai point.
Le Prince ne pût s'empêcher de
faire paroître beaucoup d'émotion en parlant de la forte : & la
Princesse des Scythes qui voyoit
que la crainte qu'il avoit qu'elle
n'aimât mieux être avec Varandanes qu'avec lui, faisoit toute
sa peine : Je ne veux point vous
obliger, Seigneur, dit-elle, de
rien faire contre votre gloire, &
je me croirois moins libre avec
le Roi de Perse, qu'avec le Prince des Romains. Je ne puis douter de ma liberté, sans faire tort
à votre générosité, dont j'ai de
si grandes preuves en si peu de
temps, au lieu que Varandanes
ne m'a encore donné que des
marques de son emportement &
de sa mauvaise foi. Ah ! Madame, s'écria alors Crispe, par un
mouvement de joye, dont il ne
fut pas le maître ; que vous avez

raiſon de vous fier à ma parole, puiſque je mourrai mille fois
avant que d'y manquer ; cette
confiance que vous avez en moi,
ne me laiſſe plus douter que je
ne mette bien-tôt Varandanes
en état ni d'empêcher l'effet de
ma promeſſe, ni de vous plus
être incommode. Après ces mots
il alla répondre au Billet du Roi
de Perſe, en ces termes.

CRISPE CESAR,
Fils du Vainqueur de la Mer & de la Terre,

A NOTRE TRES-CHER
FRERE LE ROY DE PERSE.

LA Princeſſe des Scythes auroit ſujet de ſe plaindre de
moi, ſi je la remettois en d'au-

tres mains que celles du Roi son
Pere, après qu'elle a bien voulu
se contenter de la parole que je
lui en ai donnée. Ce sera à ce
Prince à qui vous devrez la de_
mander ; & comme elle n'a jamais
commandé plus absolument dans
Chimis qu'elle fait presentement,
si vous m'en croyez, vous ne
songerez pas à rompre la Paix,
qui est entre les Romains & les
Perses.

CRISPE CESAR.

Crispe voulut prendre le nom
du Fils du Vainqueur de la Mer
& de la Terre contre sa coutume, pour rabattre, en quelque
façon, l'orgüeil que Varandanes avoit témoigné en la sub-
scription de son Billet ; mais
comme il connoissoit l'humeur
violente de ce Prince, il ne douta pas que sa réponse ne lui fit

oublier ce qu'il devoit à leur alliance, & à la paix qui étoit depuis peu entre nous.

Je ne vous ai pas encore dit, que ce qui avoit obligé Varandanes à la conclure avec l'Empereur, sans y comprendre Arsamis, avoit été non seulement les sollicitations de la Reine sa mere, Sœur de Constantin, mais que le Roi des Scythes même l'avoit ainsi désiré pour détourner les Armes de l'Empereur, jusques à ce qu'il se fut saisi de l'Albanie, ce qui lui auroit été presque impossible de faire, si le Roi de Perse eut continué la guerre contre nous : car Constantin s'étoit alors préparé pour envoyer une Armée en Perse, & une en Scythie. Mais après cet accommodement, il differa d'aller contre le Roi des Scythes jusqu'à ce que ce Prince eut exécuté fon deffein , dont il n'avoit point fait de femblant.

Quelques heures après que Crifpe eut reçû le Billet du Roi de Perfe , le même Officier qui l'avoit apporté , revint accompagné d'un Trompette , pour le fupplier encore de rendre Hypante à fon Maître.

Crifpe lui répondit que cette demande étoit injufte , & lui paroiffoit injurieufe , depuis que Varandanes avoit vû fa réponfe. Alors cet Officier lui dit qu'il avoit ordre, après ce refus , de lui declarer la Guerre. Dites à votre Roi , repliqua fierement Crifpe , que j'aime mieux ce parti que nul autre qu'il fçauroit me propofer ; & affurez-le que je le laifferai avancer jufques à la plaine voifine , où par un Combat general , ou particulier, nous finirons tous nos differens en un

même jour. Ce qui obligeoit
Crispe à laisser avancer Varandanes jusqu'à cette plaine, qui
n'est qu'à une lieuë de Chimis,
étoit pour en venir aux mains
avec les Persans, avant que les
Scythes fussent raliez, & pussent joindre leurs efforts contre
nous. Il alla faire sçavoir à Hypante en quel état il étoit avec
le Roi des Perses, & lui dit qu'il
ne doutoit point de le vaincre,
puisqu'il combattoit pour avoir
plûtôt la gloire de la rendre au
Roi son pere. Cette sage Princesse qui voyoit que Crispe ne
pouvoit la délivrer aussi-tôt qu'il
eut voulu sans faire tort à sa
gloire; fut satisfaite de ses raisons, & lui témoigna sa recon-
noissance avec tant de douceur
& de grace que le Prince s'en sentit plus touché qu'auparavant.

Tous les soins qu'il fut obligé

de prendre pour la guerre, ne l'empêcherent point de faire continuer les divertiſſemens qu'il donnoit à Hypante avec toute la magnificence poſſible. Chimis ne ſembloit preſque pas une Ville de guerre, & ſi ma cruelle affliction ne m'empêchoit de vous raconter ce qui (durant le peu de temps que nous y demeurâmes) s'y paſſa de galant parmi les illuſtres perſonnes qui compoſoient cette Cour, je vous apprendrois des avantures qui y arriverent dont la plûpart ont fait du bruit dans le monde. Mais vous remettant à vous en informer de quelqu'autre qui ait l'eſprit plus libre que je ne l'ai preſentement, je vous dirai ſeulement que le Prince jugeoit, avec beaucoup d'apparence, qu'Arſamis ſe joindroit à Varandanes, pour regagner ſur nous ce que nous avions conquis;

conquis, & pour r'avoir la Princeſſe ſa fille , que Criſpe ne
croyoit pas devoir lui rendre tant
qu'on pourroit dire qu'il y auroit été contraint. Encore que ce
Heros invincible n'eut pas deſſein de ſe laiſſer aſſieger dans
Chimis , il ne laiſſa pas de faire
fortifier ſes murailles , & ſes dehors , comme ſi elle eût dû ſoû-
tenir un ſiége ; & il ſe ſaiſit des
lieux d'alentour d'où l'on pouvoit l'incommoder.

Cependant Varandanes , par
l'avis de ſon conſeil , jugea qu'il
étoit plus à propos d'en venir à
une Bataille , qu'à un Combat
particulier ; & dans ce deſſein il
s'avança juſques à la plaine de
Chimis , où il rangea ſon Armée. Ce fut-là que le Prince nous
fit marcher en bon ordre , après
qu'il ſe fut rendu Maître des
éminences des environs d'où les

ennemis nous auroient pû incommoder s'ils s'y fuffent poftez,
ainfi qu'ils en avoient eu le deffein ; mais ils ne purent l'exécuter, ceux qu'il y avoit envoyez
ayant battu les Perfans qui
étoient arrivez en même temps
qu'eux.

Vous me difpenferez de vous
apprendre le détail de ce Combat , ni vous ni moi n'avons
point de temps à perdre , & vous
fçavez trop , fans doute , le mê-
tier de la guerre , pour ne pas
vous figurer tout ce que je ferois
obligé d'expliquer à d'autres qui
en feroient moins inftruits. Les
deux Armées donc en vinrent
aux mains après diverfes efcar-
mouches qui devancent ordinairement les grandes Batailles,
& qui fervent à animer les Soldats.

Varandanes qui avoit conçû

beaucoup de jaloufie contre le Prince depuis qu'il avoit appris de quelle maniere il s'étoit expofé pour retirer Hypante des flâmes (ne pouvant croire que fa feule générofité l'eut pouffé à une action fi périlleufe) le chercha avec foin pour fe battre contre lui. Crifpe qui n'avoit pas le même défir , foit qu'il ne fut point encore bien amoureux de la Princeffe des Scythes, ou qu'il n'eut pas fujet d'être jaloux d'un Amant fi peu aimé , ne s'occupa qu'à donner les ordres néceffaires. Il fe trouva en tous les lieux les plus dangereux de la Bataille, il fit ce qu'il avoit toujours fait lorfqu'il avoit combattu , c'eft-à-dire , qu'il s'ouvrit le paffage à travers les plus épais bataillons , & qu'il renverfa & mit en fuite tout ce qui lui réfifta ; mais le grand nombre des ennemis , &

la valeur de Varandanes & de
plufieurs vaillans Capitaines Perfans , réparant le défordre qu'il
avoit caufé par où il avoit paffé ,
empêcherent que la Victoire de-
meurât entiere à Crifpe ; la nuit
arriva , & l'on connut vifible-
ment que l'avantage étoit du côté des Romains.

Le Prince jugea en grand Capitaine qu'il devoit retourner à
Chimis , tânt pour donner du repos à fes troupes fatiguées , &
pour faire penfer plus commo-
dément les bleffez , que pour ne
pas divifer fes forces. Comme
nous arrivâmes affez tard dans la
Ville, il n'alla point à l'appartement d'Hypante de-peur de l'incommoder. Il n'y fut que le matin , auffi-tôt qu'il apprit qu'elle
étoit en état d'être vûë : Je ne
fçai , Madame , lui dit-il galam-
ment , comme j'ofe prendre la

hardieſſe de paroître devant vous,
après avoir levé le bras contre un
Prince qui ſe vante de ne combattre que pour votre liberté.
Son procedé & le vôtre, Seigneur,
répondit obligeamment la Princeſſe, ſont très-differens, vous
m'avez ſauvé la vie en me fai-
ſant priſonniere, & ne m'avez
pas même laiſſée dans la crainte
de l'être long-temps, puiſque
d'abord que je le fus, vous me
fîtes eſperer de me remettre en
liberté, & Varandanes a tenté
plus d'une fois de me rendre eſ-
clave de ſa paſſion, & ſe ſert
preſentement d'un foible prétexte pour couvrir ſon injuſte
deſſein. Jugez après cela, Seigneur, qui je dois condamner,
& à qui je dois davantage ? Un
diſcours ſi obligeant cauſa de ſi
grands tranſports de joye au
Prince, qu'il ne pût s'empêcher

de le faire paroître. Il protesta
à cette belle Princesse, que s'il
n'eut sçû que Varandanes avoit
des pensées contraires à son repos, il n'auroit jamais osé le
combattre, puisqu'il suffisoit
qu'elle voulût proteger quelqu'un pour le lui faire regarder
avec tout le respect qu'on doit
aux personnes les plus considerables ; & il lui promit de nouveau que sa liberté étoit certai-
ne, .& qu'il n'attendoit qu'à la
lui pouvoir rendre sans blesser sa
réputation. Hypante fut satisfaite du discours de Crispe, &
elle découvroit une telle fran-
chise dans ses paroles qu'elle en
fut entierement persuadée : aussi
lui témoigna t elle sa reconnois-
sance avec tant de douceur, &
de bonté, que ce nouvel Amant
la quitta plus engagé qu'auparavant.

Je l'avois accompagné en cette visite, & j'avois bien remarqué tout ce qui s'y étoit passé ; mais je n'osois lui declarer ma pensée, de peur qu'il ne fût pas bien aise que je me fusse si-tôt apperçû qu'il aimoit cette Princesse. Alors voyant que je ne lui en parlois point, il ne m'en fit pas un mystere. Que direz-vous de mes résolutions Gallican, me dit-il, quand je fus seul avec lui ? vous avez observé sans doute, que la Princesse des Scythes me va mettre au point de les oublier, ou de n'en faire plus guéres de compte. Seigneur, lui répondis-je, en sous-riant, elle est si belle, & si digne d'être aimée, que je trouverois mille fois plus étrange si vous demeuriez insensible après l'avoir vûë, & en étant bien traité, que si vous veniez à l'aimer : Il est vrai, reprit-il, que

rien ne mérite tant les vœux,
& les services de tout ce qu'il y
a de grand sur la terre ; mais je
suis encore le même dans mes
désirs, malgré mon cœur qui les
veut faire changer ; & quand je
ne pourrois vaincre un sentiment qui commence à troubler
mon repos, je m'éloignerois de
cette beauté dont la vûë me me-
nace d'une servitude que j'ai
évitée jusques ici avec tant de
succès. Puis, sans me donner le
temps de lui répartir, Ma gloire,
continua-t-il en soupirant, s'oppose encore à la liberté d'Hypan-
to. Il faut que les Perses soient
vaincus avant que je lui tienne
ma parole ; & cependant je me
vois exposé à un péril manifeste
d'aimer, & d'être entierement
vaincu d'une passion que je n'aurois jamais cru ressentir. A ces
mots il tomba dans une si profonde

fonde rêverie, que je n'ofai l'en retirer;mais quelque temps après, C'eft trop combattu dans nousmême dit-il, Gallican, fans pouvoir nous vaincre. Voyons fi par diverfion & en combattant nos ennemis du dehors, nous pourrons nous défaire de ceux qui nous attaquent au dedans : peutêtre que les foins de la guerre étoufferont les fentimens de l'Amour. Enfuite il ne me parla plus de ce qu'il jugeoit devoir faire pour affoiblir les Perfans avant l'arrivée des Scythes ; & ayant fait affembler les principaux Officiers de fon Armée, il tint Confeil de Guerre. Encore que je connuffe parfaitement la force de fon efprit, & la grandeur de fon ame, je fus furpris de lui voir une fi grande tranquillité après de fi cruelles agitations. Il fut réfolu dans ce Confeil , que le lendemain on tâcheroit d'attirer Varadanes à un Combat décifif.

A peine le jour commençoit à paroître que Crifpe fit mettre fes troupes en bataille , & les fit avancer vers le lieu où le Roi de Perfe avoit fait fortifier fon Camp. Les principaux de l'Armée de Varandanes confeilloient à ce Prince de ne pas fortir de fes lignes , jugeant peu avantageux pour eux de combattre avant que tous leurs travaux fuffent achevez ; mais Varandanes pouffé par fa jaloufie, & par la crainte qu'Hypante ne l'accufât de fe trop ménager , lorfqu'il fe vantoit de la vouloir délivrer des mains de Crifpe , rejetta un confeil fi prudent & fi falutaire , fit fortir fes troupes de leurs lignes , les fit avancer contre les nôtres, & nous obligea d'en venir aux mains

fans obferver toutes les formali-
tez qu'on a accoutumé de garder le jour d'une Bataille. Les
lieux ne fe trouvoient guére pro-
pres pour une fi grande action.
Le Païs étoit rabouteux du côté
du Levant , coupé par plufieurs
torrens , plein de petites éminences , de vallées , & de fondrie-
res ; & de celui du Couchant les
bras du fleuve Rha, empêchoient
de fe pouvoir élargir. Ce fut au
bord de l'un de ces bras que Varandanes rencontra Crifpe, après
l'avoir cherché long-temps Il le
reconnut à l'aigle Romaine qu'il
portoit fur fon Cafque , & encore plus aux actions de valeur
qu'il faifoit. Le Prince ne fut pas
fâché d'éprouver les forces du
Roi de Perfe. Comme j'étois
affez éloigné du lieu où ils fe
rencontrerent , occupé à confer-
ver l'avantage que l'aîle gauche

C ij

que je commandois avoit déja
fur l'aîle droite de l'ennemi, je
ne puis vous dire les particularitez d'un combat où deux des
plus vaillans Hommes du monde faifoient tous leurs efforts pour
vaincre, pouffez par des mouvemens capables feuls d'infpirer de
l'ardeur & des forces aux moins
hardis. Ceux qui les virent affu-
rerent que Crifpe avoit eu befoin de tout fon courage ,. & de
toute fon adreffe en cette terri-
ble rencontre ; mais enfin voulant terminer ce combat qui
duroit trop, à ce qui lui fembloit, il lança un coup fi furieux fur la tête de Varandanes, qu'encore que celui-ci eut
oppofé fon écu, il en fut tellement étourdi qu'il chancela plufieurs fois. Il feroit tombé fans
doute aux pieds de fon cheval,
fi un grand nombre des fiens

n'eût accouru, & ne l'eût garan-
ti des nouveaux efforts de Crispe. Ce Prince vit emmener Varandanes encore tout étourdi,
avec beaucoup de déplaisir de
n'avoir pû achever de le vaincre, non tant pour être délivré
d'un si puissant ennemi, que
pour pouvoir donner plûtôt la
liberté à la Princesse des Scythes, à qui sans dessein même
il songeoit incessamment de
plaire.

Son retour dans la mêlée fût
funeste à plusieurs, & quand
l'Armée ennemie n'auroit pas été
sans son Roi, qui en étoit le principal défenseur, elle ne pouvoit
s'opposer guére de temps à l'ardeur qui animoit Crispe, & qui
fut secondée de tous ceux des
siens qui étoient témoins de ses
grandes actions. Jamais la fou-
dre n'a fait plus de dégât dans un

champ, que ce Heros en faifoit
parmi les Perfes, auffi leurs Chefs
confiderant qu'ils commençoient
à être en défordre, & que Varandanes n'étoit point en état de
combattre, éviterent leur défai-
te entiere par leur retraite. On
vit reculer peu à peu leurs troupes avec un fi bon ordre, que
Crifpe qui le reconnut, admira
leur conduite, & ne pût ni les
obliger de faire ferme, ni les
rompre entierement.

Hypante apprit bien-tôt l'a-
vantage que le Prince avoit eu
fur le Roi de Perfe, & celui que
notre Armée avoit remporté fur
celle de ce Prince ; & comme
j'ai fçû depuis, elle l'apprit avec
plus de joye qu'elle n'auroit crû.
Faut-il donc, difoit-elle à Oziane, que je fois bien aife que
Crifpe ait vaincu Varandanes?
Qui m'eût dit qu'un jour on me

verroit faire des vœux pour les Romains qui nous ont usurpé de si grands Etats ; & sur tout pour leur Prince qui a répandu tant de sang des Scythes , & qui a mis le Roi mon Pere en danger de mourir ? Il faut avoüer Oziane , continuoit-elle , que la vertu a bien du pouvoir, puisqu'elle me force à estimer un Prince qui est notre ennemi, & à me réjoüir des avantages qu'il a eu sur le Roi de Perse , qui ne combat que pour nous. Mais, reprit-elle, un peu après, pourrai-je refuser d'entrer dans ses intérêts , lorsque je me ressouviendrai qu'il s'est précipité dans les flâmes pour m'en retirer , qu'il a résolu de me rendre libre, quoiqu'il pût esperer de grands avantages de ma captivité , & qu'il n'a rompu avec Varandanes qu'à cause qu'il sçait qu'en me remet-

tant au pouvoir de ce Prince , je
serois malheureuse , & que je
crains d'y tomber ? Quelle générosité ! quelle vertu , Oziane !
Cette fil'e qui connoissoit que la
Princesse des Scythes rendoit
justice à ce Crispe , entra dans ses
sentimens , & elles continuerent
long - temps de parler d'un Heros si digne d'être loüé.

Cet entretien qui eût dû alors
être sçû du Prince pour flatter sa
passion naissante , ne le fut que
long-temps après ; & le Roi de
Perse qui devoit l'ignorer toute
sa vie pour son repos , l'apprit
dès le lendemain. Il avoit autrefois gagné une des filles d'Hypante dont elle ne se défioit
point , & qui lui avoit toujours
fait sçavoir les sentimens de sa
Maîtresse, & tout ce qu'elle avoit
pû entendre , qu'elle avoit dit
en particulier à Oziane , soit

qu'elle se cachât dans quelque
endroit de la chambre d'Hypante, soit que cette Princesse
ne se retint pas de parler librement devant elle. Cette fille in-
fidelle ne manqua pas d'avertir
Varandanes de cette conversa-
tion, par un Persan déguisé. Ce
Roi amoureux fût troublé à cette nouvelle, qui lui donnoit lieu
de croire que la Princesse des
Scythes ne pouvoit parler si avan-
tageusement de Crispe, sans y
être portée par quelque mouvement plus puissant que sa re-
connoissance. La jalousie qui
avoit déja commencé à se saisir
de son esprit, augmenta alors
avec tant de violence qu'il ne
pouvoit contenir les transports
de sa fureur. Tantôt il faisoit
dessein de se battre seul à seul
contre Crispe, pour terminer
leur nouveau differend par la

mort de l'un d'eux : tantôt il vouloit en revenir à une Bataille, où il efperoit réparer les fautes qu'il croyoit que lui & fes troupes avoient faites en la premiere : puis il defiroit faire fçavoir auparavant à Arfamis l'engagement qu'il fe perfuadoit qu'Hypante avoit avec le Prince. Néanmoins après tant de projets differens, ne trouvant rien d'affez fort pour fon deffein, & ayant tant à craindre de la vûë continuelle de Crifpe & d'Hypante, il crût agir plus fûrement s'il fe conduifoit en cette occafion avec plus de politique & d'adreffe, que fon grand courage, & que fon naturel impatient, ne lui infpiroient.

Ce qui le porta plus aifément à cette conduite, ne furent pas feulement les confeils d'Arbaces, un des principaux & des

plus fages de fes Capitaines , &
dont la valeur répondoit à la
prudence ; mais ce fut auffi la réponfe favorable qu'il reçut le
lendemain de la Bataille, à la
Lettre qu'il avoit écrite à Arfamis. Ce Prince au lieu de paroître irrité contre lui de ce qu'il
avoit voulu enlever la Princeffe
fa fille , lui témoignoit fa reconnoiffance d'avoir embraffé fes
interêts contre les Romains , &
de préferer fon amitié à celle de
l'Empereur. Et il l'affuroit que
ne pouvant fe mettre fi-tôt en
campagne à caufe de fes bleffures, il feroit avancer contre nous
le refte de fon armée dès qu'elle
feroit en état de marcher , fi Crifpe ne vouloit rendre Hypante
aux conditions qu'il lui envoyoit
propofer. Varandanes efpera dès-
lors toutes chofes favorables à fes
deffeins , & crût qu'au lieu de

rien précipiter, il devoit nous
affoiblir peu à peu, jusqu'à ce
que les Scythes fussent joints
aux Persans pour nous vaincre
avec plus de facilité : Cependant les Envoyez d'Arsamis arriverent à Chimis, & après qu'ils
eurent remercié le Prince de la
part de leur Maître, d'avoir sau-
vé la vie à Hypante, & du bon
traitement qu'elle en recevoit,
ils le supplierent de se résoudre
à délivrer cette Princesse sous les
conditions les plus favorables
qu'il voudroit proposer. Crispe
crût alors ne devoir plus retenir
Hypante en sa puissance ; mais il
avoit déja trop d'amour pour
consentir à perdre si-tôt celle
qui en étoit l'objet, néanmoins
il auroit enfin surmonté ce que
lui inspiroit sa passion, pour ne
manquer pas à sa parole, quand
il en eut dû mourir de regret,

s'il n'eût consideré qu'il feroit
un grand tort à sa gloire, de donner la liberté à la Princesse, par
un traité où il paroîtroit qu'il
auroit agi avec des sentimens
d'interêt, & qu'il auroit craint
les forces de deux grands Rois
liguez contre lui. Mais en même temps il croyoit ne devoir
pas s'arrêter à ces considerations,
puisqu'il suffisoit qu'il rendit Hypante sans rien demander pour
sa rançon, & qu'en la retenant
plus long-temps, il pourroit s'en
faire haïr. Ces pensées diverses,
& ces résolutions confuses & in-
certaines, le mettoient dans un
embarras le plus grand où il se
fut jamais trouvé?

Ah ! disoit - il , que c'étoit
bien avec raison que j'évitois
tant d'aimer ! à peine je commence à sentir de l'amour, que je
me vois réduit à des extrêmitez

qui me font également dange-
reufes! Faut-il pour plaire à Hypante ne la voir plus, ou faut-il
l'offenfer pour ne la pas perdre fi-
tôt de vûë? mais auffi faudra-t-il
qu'un rival qui n'eft point aimé,
puiffe dire qu'il m'a forcé à délivrer cette Princeffe, & qu'on
puiffe croire que Crifpe a craint
les armes des Perfes & des Scythes, lui qui s'eft vû plus foible
qu'il n'eft prefentement contre
de plus grandes forces, & qui
en a triomphé? Non, non, je
dois à ma gloire tout l'interêt de
mon amour. Puis ayant rêvé
quelque temps fans parler; mais,
reprit-il, fi je me conduis de la
forte, je fuis expofé à verfer de
nouveau le fang des Scythes,
& peut-être celui du Pere de la
divine Princeffe, à qui je me ren-
drai odieux pour toujours par
cette violence. Cruel partage de

la gloire & de l'amour! je ne puis donc rien choisir qui ne me soit dangereux, & peut-être, qui ne me soit funeste? O passion qui parois si douce & qui est si cruelle, pourquoi joins-tu à des commencemens si favorables des suites si rigoureuses?

Ce Prince qui étoit contraint de prendre une derniere résolution, & qui pendant le reste du jour, & toute la nuit suivante ne pût se déterminer, crut qu'il le feroit plus aisément s'il voyoit Hypante, soit qu'il se flattât qu'elle étoit trop juste pour n'attendre pas qu'il la délivrat lorsqu'il le pourroit faire sans offenser sa gloire, soit qu'il ne pût rien résoudre qui la touchât sans suivre ses sentimens. Lorsqu'il fut pour la voir, il trouva que les Envoyez d'Arsamis sortoient de

l'appartement de cette Princeſſe.
Vous venez d'apprendre, Madame, lui dit-il, en la ſaluant
avec une crainte reſpectueuſe,
que le Roi votre Pere m'offre
des conditions pour votre liberté
ce qui témoignent qu'il ignore, &
que je vous ai promis, & ce que
je vous dois. Votre généroſité eſt
ſi grande, Seigneur, répondit
Hypante, & les obligations que
je vous ai, ſont ſi extraordinaires, que j'avoüe que quand le
Roi mon Pere vous offriroit toute la Scythie, nous ne pourrions
pas nous acquitter envers vous.
Ne me flattez pas, Madame,
repliqua le Prince, d'avoir rien
fait qui mérite votre reconnoiſſance, il y a trop de gloire à vous
ſervir, pour croire que vous puiſ-
ſiez m'être obligée ; auſſi, Madame, j'en ſuis tellement per-
ſuadé,

ſuadé , que j'attends de votre
ſeule bonté , la grace que je vous
demande très - juſtement de demeurer parmi nous , juſques à ce
que j'aie mis Varandanes en état
qu'il paroiſſe , en vous délivrant,
que rien n'y a contribué que le
ſeul deſir que j'ai de vous plaire.
Quoiqu'il ait une puiſſante armée , qu'il ſoit un vaillant &
grand Prince , & que l'on ne ſe
puiſſe rien promettre du ſort des
armes ; je me ſens capable de le
vaincre aiſément , ſi vous avez la
bonté de me dire que vous attendez ſa defaite pour me com-
mander de vous rendre au Roi
votre Pere.

Le Prince parloit avec tant
d'ardeur , qu'Hypante ne pût
croire qu'il dit rien contre ſon
veritable ſentiment , & qu'il ne
fut capable d'exécuter de plus
grandes choſes pour elle. Cette

D

penfée lui fut d'abord agréable :
mais confiderant après qu'il ne
vouloit pas lui donner fi-tôt la
liberté , elle en fut affligée ; &
pour l'obliger civilement à changer de réfolution , il n'eſt pas befoin , Seigneur , dit-elle , que
vous vous engagiez à de nouveaux dangers pour moi, je fuis
trop perfuadée de ce que vous
voudriez faire encore. Ne vous
expofez donc pas davantage,
Seigneur , je ne vous ferai pas
moins obligée fi vous recevez la
rançon que le Roi mon Pere
vous offre , & faites qu'en l'ac-
ceptant,je ne fois plus le prétexte d'une guerre fi cruelle. Ah !
Madame , s'écria le ·Prince,
quelle injure faites-vous à vous
& à moi ! Y a-t-il des Empires
affez grands pour être préferez
au bonheur de votre vûë ? & fuis-
je affez aveuglé pour ne connoî-

tre pas une verité aussi constan-
te ? ou suis-je assez lâche pour
vous rendre au Roi votre Pere
par un traité interessé ? Ayez
meilleure opinion de moi, Madame, & croyez que j'aurai bien-
tôt la gloire de vous avoir re-
mise entre ses mains d'une maniere digne de vous & de moi.

Je dois donc me resoudre, repliqua Hypante, à être au pouvoir des Romains jusqu'à ce qu'ils
ayent achevé de vaincre les Perses, & de détruire les Scythes;
& qui plus est, ajouta-t-elle, en
essuyant des larmes qu'elle ne
pût retenir, jusqu'à ce qu'ils
ayent peut-être mis le Roi
mon Pere dans le tombeau.

Le Prince fut touché de ces
cruelles paroles jusques au fond
du cœur. Il regarda quelque tems
cette Princesse sans lui rien dire.
Puis il reprit tout à coup avec

une action paſſionnée. Vous êtes
maîtreſſe , Madame , dit-il , de
vous , de moi, & de tous les Romains que j'ai ſous ma puiſſance : décidez du deſtin des uns &
des autres, je ne m'oppoſe point
à votre liberté ; mais je vous ſup-
plie de conſiderer , Madame ,
que Varandanes, celui qui vous a
offenſé tant ¦de fois , & celui ſur
qui j'ai eu d'aſſez grands avantages , aura lieu de dire qu'il m'a
forcé à vous délivrer. De grace ,
attendez encore quelques jours ,
& ſoyez aſſurée que je périrai ,
ou que je mettrai le Roi de Perſe
en état de ne pouvoir tirer cette
vanité. Mais , Madame , reprit-
il , en ſoûpirant , ſi vous perſiſtez
à vouloir m'abandonner ſi-tôt au
cruel déplaiſir que j'aurai de vous
perdre , vous n'avez qu'à me le
faire connoître, & je vous obéïrai
malgré les conſiderations que je

viens de vous dire , & malgré
des raisons dont je ne vous par-
le point.

La Princesse des Scythes qui
connoissoit que Crispe avoit raison de ne la pas délivrer alors ,
ne voulut pas l'y obliger. Je vous
dois trop , Seigneur , répondit-
elle , pour exiger de vous une
grace , lorsque votre gloire en
peut recevoir quelque atteinte ,
& je me contente de la parole
que vous m'avez donnée , dans
l'assurance que j'ai que vous me
la tiendrez quand vous le pour-
rez. Crispe charmé de ce discours , où Hypante lui faisoit
paroître l'entiere confiance qu'elle avoit en sa vertu , la confirma
dans cette opinion par des paroles capables de persuader les
plus défians.

Oziane qui avoit été presente
à cet entretien; A quoi avez-vous

confenti, Madame, dit-elle à la Princeffe, lorfque Crifpe fut forti, il n'a tenu qu'à vous d'être libre aujourd'hui : Ah ! que vous pouviez bien mieux ufer du pouvoir que vous vous êtes acquis fur l'efprit de ce Prince. N'eft-il pas jufte, répondit Hypante, que j'aye des égards pour lui, pendant qu'il m'en témoigne tant, & qu'il m'affure de ma liberté. Croyez-vous, Madame, repliqua Oziane, que ce Prince qui commence à vous aimer puiffe fe refoudre (lorfque fon Amour fera plus forte) à vous perdre auffi facilement qu'il auroit fait aujourd'hui. Quand je ferois contrainte d'avoüer qu'il m'aime, interrompit la Princeffe, je croirai toujours qu'il aime trop la gloire pour manquer à fa promeffe. J'avoüe, reprit Oziane, qu'il n'y a rien au

monde, excepté l'Amour, qui
peut l'y obliger; mais, Madame, cet Amour est un si adroit,
& si doux séducteur, qu'il ne lui
fera trouver que trop de prétextes pour ne vous délivrer pas au
temps qu'il vous fait esperer, &
pour se persuader qu'il ne le doit
pas faire. Oziane lui dit encore
d'autres raisons pareilles ; mais
ce qu'il y eût d'admirable, jamais la Princesse des Scythes ne
pût soupçonner Crispe de lui
manquer de parole, malgré la
connoissance qu'elle avoit que ce
Prince l'aimoit déja assez pour
se faire une grande violence en
se séparant d'elle : & jamais elle
ne pût craindre qu'il n'exécutât
ce qu'il lui avoit promis. Elle fit
sçavoir au Roi son Pere le bon
traitement qu'elle en recevoit,
& l'assurance qu'elle avoit de sa
liberté. Arsamis ajouta beaucoup

de foi à fa Lettre , & ne condamna pas dans fon ame les raifons que Crifpe lui écrivit , & ce
que fon Envoyé avoit ordre de
lui dire , pour l'obliger d'attendre qu'il pût lui rendre la Princeffe fans offenfer fa réputation.
Encore qu'Arfamis pût agir de
lui-même , il voulut affembler
fon Confeil dans le deffein de
lui faire approuver qu'on n'irritât point Crifpe. La plûpart de
ceux qui le compofoient étoient
dans les interêts de Varandanes,
dont ils recevoient de grands
bienfaits , & qui en attendoient
davantage lorfqu'il auroit épou-
fé Hypante : Il y avoit fur tout
un Prince de la Maifon de la
mere d'Arfamis qui s'étoit acquis un fi grand pouvoir fur ce
Monarque , qu'il le gouvernoit
entierement. On le nommoit
Othmar , & l'on peut dire que
fon

fon experience égaloit fon crédit:
Celui-ci lui reprefenta qu'il ne
pouvoit fans injuftice , & fans
honte , ne fécourir point un Roi
à qui il avoit fait efperer de lui
donner la Princeffe fa fille , qui
lui avoit amené , de fon feul
mouvement , une puiffante Armée , & qui avoit rompu avec
les Romains pour fes interêts. Il
ajoûta qu'il croyoit que Crifpe
ne demandoit du temps pour
rendre Hypante, que dans le deffein de la mener à Bifance quand
il auroit eu plus d'avantages fur
Varandanes , ou du moins que
lorfqu'il verroit fortifier fon Armée des troupes que l'Empereur
lui envoyeroit fans doute en peu
de temps , il efperoit exiger une
rançon de cette Princeffe qui feroit trop préjudiciable aux Scythes. Et il conclut que le refus
que Crifpe avoit fait d'écouter

les propofitions d'Arſamis , étoit
une nouvelle injure que tous
les Scythes recevoient en la perſonne de leur Roi. Ces raiſons
qui furent approuvées de la plûpart de ceux qui compoſoient le
Conſeil , changerent ſi fort Arſamis (qui parmi pluſieurs grandes qualitez , avoit le ſeul défaut
d'être trop facile à être perſua-
dé par ceux qu'il aimoit) qu'enfin il rendit à l'Envoyé de Criſpe une réponſe peu favorable ,
& donna ordre de faire avancer
le plus de troupes qu'on pourroit
vers Aſtracan pour l'aſſieger , &
pour faire diverſion d'armes ; at-
tendant que ſes bleſſures lui per-
miſſent de ſe remettre en campagne.

Criſpe reçût cette nouvelle
avec un ſenſible déplaiſir , ſe
voyant contraint de combattre
encore les ſujets du Perc de celle

qu'il aimoit déja avec toute l'ardeur imaginable. Il se plaignit à
Hypante de son infortune, en
des termes qui obligerent cette
belle Princesse ; & pour lui témoigner combien il avoit de
respect pour tout ce qui lui ap-
partenoit, il me commanda en
sa presence de ne me servir des
troupes qu'il me donnoit pour
aller à Astracan, qu'à la défen-
se de cette grand Ville, & de
n'en venir aux mains avec les
Scythes, que lorsque j'y serois
forcé. Je partis dans le dessein
de lui obéïr ; je munis tous les
lieux considerables des environs
d'Astracan, j'en redoublai la
garnison, & j'en fortifiai les dehors autant que le temps me le
pût permettre.

Cependant le Prince qui jugeoit que le Roi des Scythes, &
celui de Perse grossiroient bien-

tôt leurs Armées , voulut faire
quelque grande entreprise pour
affoiblir considerablement Varandanes , avant même que le
secours qu'il esperoit de Bisance
fut arrivé. Vous sçavez sans doute que Chimis n'est qu'à deux
heures de chemin de la Mer , &
je vous ai dit que ce fut à l'em-
bouchûre du fleuve Rha , qui
baigne de l'un de ses Bras les mû-
railles de cette Ville , où Varandanes mit pied à terre avec
son Armée. Il n'avoit pas encore fait retourner ce grand nombre de Navires qui l'avoient me-
né, & qui n'étoient pas trop sur
leur garde, voyant que nous n'a-
vions point d'Armée navale dans
la Mer Caspiene. Le Prince
neanmoins avoit fait préparer se-
cretement tous les Navires qu'il
pût trouver sur la côte qui obéïs-
soit aux Romains , & après qu'ils

eurent été armez de tout ce qui
leur étoit néceſſaire pour ſon
deſſein, le Prince Nepotien eût
ordre de les faire avancer une
nuit contre ceux des Perſes. Nepotien ſe conduiſit avec tant de
ſecret, & de promptitude qu'une
partie des Vaiſſeaux Ennemis
étoit déja brûlée & coulée à fond,
avant qu'ils euſſent reconnu d'où
leur venoit cette effroyable perte. Encore que les nôtres fuſſent
beaucoup moins en nombre, ils
étoient mieux armez & plus ré-
ſolus, tellement que la réſiſtance qu'ils trouverent ne fut pas
grande. C'étoit un ſpectacle auſſi
affreux que pitoyable, de voir le
feu que les Romains jettoient
dans les Navires Perſans, brû-
ler indifferemment les voiles,
les cordages, les bois & les Hommes ; & ceux qui croyoient écha-
per dans la Mer, ou y étoient

tuez par les fléches des nôtres, ou étoient étouffez dans une eau qui boüilloit par la violence du feu.

Varandanes qui apprit ce malheur , ne put l'éviter. Dès le même matin , Crifpe l'avoit attaqué à deffein , par divers endroits avec le refte de fes troupes, & l'avoit contraint malgré la réfolution qu'il avoit faite au contraire , d'en venir à un combat general. Il n'eft pas poffible de s'imaginer la rage de ce Roi ambitieux , & amoureux tout enfemble , il ne pouvoit douter du cruel défordre de fes Navires, encore qu'il ne fçût où Crifpe en avoit pris pour les furprendre avec tant de promptitude & de fuccès ; & voyant qu'il falloit qu'il les laiffât périr , ou qu'il fit périr fon Armée en l'affoibliffant pour les fécourir , il s'en prenoit au deſtin & au Ciel même , qui faiſoient ſucceder ſes deſſeins tout autrement qu'il n'avoit eſperé : & ce qui lui ſembloit encore plus inſupportable , étoit de voir que celui qu'il regardoit comme ſon rival , triomphoit de lui en tant de manieres. Cette cruelle connoiſſance redoublant les tranſports que la violence de ſon naturel lui inſpiroit , il fit ce jour-là des actions ſurprenantes , & d'un vrai Amant déſeſperé. Les plus épais Bataillons s'ouvroient à l'impetuoſité de ſa courſe , & les plus reſolus cedoient à la force de ſes coups : enfin rien ne lui réſiſtoit , & Criſpe qui vouloit arrêter ſa furie , dont il voyoit de ſi terribles marques , faiſoit des actions pour le joindre, que je ne ſçaurois décrire ; mais ſes ſoins furent inutiles , & le temps qu'il auroit perdu à le chercher, l'auroit peut-être empêché de remporter la victoire, si un gros de Cavalerie que le Roi de Perse mal accompagné attaqua, ne se fut ouvert à dessein, pour lui laisser le passage libre ; & dans le temps qu'il se jetta sur un côté, les autres l'envelopperent, tuerent ceux qui le suivoient, & son cheval même fut tué sous lui. Ce vaillant Prince se défendoit avec tant de vigueur que les Romains, voyant plusieurs de leurs compagnons morts à ses pieds, désespererent plusieurs fois de le vaincre; mais enfin le grand nombre auroit triomphé de la valeur : & déja Varandanes levoit à peine son épée, lassé de tant de coups qu'il avoit donnez, lorsqu'un Cavalier de très-bonne mine, couvert de superbes armes, & qui paroissoit n'être ni Romain,

ni Perſan, donna avec ſa petite
ſuite, ſur ceux qui preſſoient le
Roi de Perſe, & après en avoir
abattu pluſieurs, & avoir écarté
les autres, il preſenta un cheval
à ce Prince, & le délivra d'un ſi
grand danger.

Varandanes rempli d'admi-
ration d'une action ſi genereuſe
& ſi hardie : Illuſtre défenſeur
d'un Roi perſecuté de l'amour
& de la fortune, lui dit-il, lorſqu'il fut monté à cheval, & qu'il
s'avança pour l'embraſſer, que
puis-je faire pour m'acquitter
envers un homme ſi extraordinaire, & qui m'a ſecouru ſi à
propos. En parlant de la ſorte il
fut extrêmement ſurpris de ce
que l'Inconnu recula pour l'empêcher de l'embraſſer, lui diſant;
Roi de Perſe, ne me ſçachez
point de gré du ſecours que je
vous ai donné. Je ſuis votre en-

ennemi , & puis·que je ne fçai
pas fi je pourrai jamais avoir une
occafion plus favorable que cel-
le-ci ; pour terminer nos differens, n'attendons pas davantage.
A pe ne eût il achevé ces paroles , qu'il leva le bras pour obliger Varandanes de fe défendre.
Ce Prince fut dans une furprife
inconcevable d'un procedé fi bi-
zarre , & ne pouvant ni s'imaginer qui pouvoit être cet ennemi , ni fe réfoudre à fe battre
contre fon liberateur, il lui dit
de ne le forcer pas à rendre une
action pleine d'ingratitude , &
le pria de fe faire connoître,
pour fçavoir en quoi il l'avoit
offenfé. Mais l'Inconnu qui avoit
de très puiffantes raifons d'être
fon ennemi , & de ne fe point
nommer, lui répondit feulement,
qu'il étoit Prince , & qu'il ne
pouvoit jamais être en paix avec

lui. Puis, voulant l'obliger de se
défendre , il lui porta un coup,
qui bien qu'il ne l'eût pas donné
de toute sa force , ne laissa pas
d'ébranler Varandanes , & de le
mettre en telle furie , qu'il ou-
blia aisément toutes les confiderations qu'il avoit eûës auparavant , pour faire repentir l'Inconnu d'une conduite si surpre-
nante.

Leur Combat fut d'autant
plus dangereux qu'ils ne son-
geoient qu'à le terminer avant
qu'ils pussent être séparez ; aussi ,
dès les premiers efforts , ils se firent couler du sang ; mais voyant
venir de tous côtez des Persans
qui fuyoient , ils se porterent en
même temps un coup si furieux
que l'Inconnu reçût une large
blessure au défaut de la cuirasse,
& Varadanes eût le bras droit
percé. Il ne laissa pas neanmoins

de prendre fon épée de la main
gauche , & de s'en fervir avec
beaucoup de vigueur ; mais les
fuyards les forcerent enfin de fe
féparer. L'Inconnu qui n'avoit
nul interêt ni en l'un , ni en
l'autre parti , fortit du lieu de la
Bataille fans combattre ; & Varandanes fut emmené malgré lui
par Arbaces, qui furvint tout à
propos en ce lieu avec les plus
vaillans de leur parti, pour l'empêcher de fe précipiter dans un
danger manifefte de perdre la
vie, ou la liberté.

Leur retraite acheva de donner la Victoire à l'Armée de
Crifpe , & il ne lui refta plus
qu'à pouffer les ennemis jufques
à leur entiere déroute.

Cette journée fut memorable,
& heureufe pour les Romains ;
non-feulement par le gain d'une
Bataille , & par la perte que fit

Varandanes de la plûpart de ses
Navires , mais je remportai dans
le même temps un avantage con-
siderable sur les Scythes. Encore
que je fusse dans le dessein d'é-
viter d'en venir aux mains avec
eux , ainsi que le Prince me l'a-
voit ordonné , & que j'eusse donné le même ordre à ceux que
j'avois postez aux environs d'A-
stracan , les Scythes tenterent
tant de fois à les attirer au Combat , qu'ils ne pûrent l'éviter.
J'en fus d'abord averti , & j'y
accourus avec le plus de monde
que je pûs mener , sans affoiblir
la garnison. Comme le nombre
des ennemis étoit beaucoup plus
grand que ceux des nôtres avec
qui ils se battoient déja , à peine
y fus-je assez-tôt pour les sou-
tenir. Ce secours étant arrivé si à
propos , en peu de temps ces fiers
ennemis furent contraints de

reculer avec une très - grande perte.

La fortune de Crifpe l'ayant fait vaincre par tout, je n'eus pas plûtôt remis les troupes dans leurs poftes, & dans la Ville, que je voulus moi - même lui aller porter cette bonne nouvelle. Je partis qu'il étoit nuit, & j'arrivai long-temps avant le jour à Chimis, dont on m'ouvrit les Portes. Comme Crifpe apprit ma venuë, il defira me voir, quoiqu'il fut encore au lit ; Mais je ne fus jamais plus étonné que lorfque lui ayant fait fçavoir ce qui s'étoit paffé, il me regarda en foupirant profondément, puis il me dit : Ah ! Gallican, que la fortune me perfecute, dans le temps même qu'il femble qu'elle me favorife,& que tous ces avantages me coûteront cher. Plaignez la deftinée de Crifpe qui

n'espere plus , ni de repos , ni de
salut. Oüi, Gallican, ajoûta-t-il ,
si je délivre Hypante, je mourrai
de regret d'être éloigné d'une
beauté incomparable , & que
j'aime déja trop , malgré toute
ma résistance ; & si je ne la délivre point , quand je n'ai plus de
prétexte de ne le pas faire , je
mourrai de honte d'avoir manqué à ma parole. O que l'amour,
poursuivit-il, me punit bien de
l'avoir si peu craint , & de l'avoir
même bravé , & qu'il me fais
bien ressentir à la fois toutes les
rigueurs que les autres endurent
en beaucoup de temps.

Comme je n'étois pas insensible à l'amour , le discours du
Prince me toucha vivement , &
je jugeois assez de ce qu'il devoit
souffrir dans les deux extrêmitez
qu'il trouvoit également cruelles , quelque choix qu'il pût fai-

re ; auffi je n'ofai lui rien dire,
bien qu'il me demandât plufieurs
fois mon fentiment. Enfin voyant
que je ne répondois point , il me
regarda d'une maniere fi réfo-
luë, que je compris qu'il s'étoit
déterminé : Il ne faut plus de
confeil Gallican, me dit-il, mon
efprit eft hors de fa cruelle incertitude : Rendons Hypante à
fon Pere, ainfi que nous le lui
avons promis , & pendant que
nous le pouvons , fans offenfer
ma gloire. Quand il faudroit
mourir de douleur en la perdant,
pourfuivit-il , j'aurai l'avantage
d'avoir été inviolable en ma
promeffe. Il s'arrêta quelque
temps , fans que je puffe lui répondre , admirant une réfolution & une force d'efprit fi dignes
de lui. Puis il reprit avec un vifage où il paroiffoit plus de tranquilité qu'auparavant : Peut-être
Gallican,

Gallican, que sans mourir, ou-
blierai-je les charmes qui ont
failli à me rendre parjure, après
m'avoir soumis à une passion
dont j'avois si peu craint la puissance. Alors sans me donner le
temps de lui dire, sinon que je
n'avois pas moins esperé de son
grand courage ; Il se fit habiller,
il écrivit au Roi des Scythes, &
lui manda que le lendemain il
conduiroit la Princesse à un petit Bourg, qui est entre Chimis
& Astracan, pour la remettre
entre ses mains, ou de ceux qu'il
y trouveroit de sa part. Comme
il se passa quelques heures depuis que j'étois arrivé jusques à
ce que ce Courier fut parti, le
Prince crut qu'Hypante seroit
alors en état d'être vûë : Il l'envoya sçavoir, & lui ayanat été
rapporté qu'elle étoit déja habillée, il alla dans sa chambre pour

F

lui apprendre ce qu'il avoit écrit
au Roi son Pere.

Il entra avec cette intention,
& il croyoit que rien ne pouvoit
ébranler la résolution qu'il avoit
prise, même il s'imaginoit s'ê-
tre assez fortifié contre la vûë
d'Hypante pour ne témoigner
plus de foiblesse ; mais qu'il
éprouva bien cette fois, qu'il ne
faut se rien promettre d'un cœur
qui paroît devant l'objet qui l'a
vaincu ? Helas ! ce pauvre Prince ne fut pas seulement ébloüi à
l'approche d'une beauté qui ne
pouvoit être regardée sans faire
cet effet ; mais il se repentit d'a-
voir consenti à s'en éloigner, &
l'on lisoit sur son visage, & sur
tout dans ses yeux, qu'il ne pouvoit songer à se séparer d'elle
sans mourir. La Princesse qui le
vit dans un si grand trouble, &
qui avoit attendu long - temps

qu'il parlât, se troubla elle-mê-
me, & dans la crainte qu'il fut
arrivé quelque malheur, ou au
Roi son Pere, ou à lui ; elle lui
demande le sujet de son déplaisir. Le Prince fit alors un effort
extraordinaire sur lui-même pour
la tirer de la peine où son amour
ne pouvoit la souffrir. Cette heure que vous avez tant désirée,
lui dit-il, & qui est si contraire
à ma felicité, est enfin arrivée,
Madame. Pour mon malheur, j'ai
défait le Roi de Perse, & comme je puis maintenant vous rendre libre sans offenser ma gloire, j'ai envoyé avertir le Roi votre Pere que je vous dois remettre demain en sa puissance. Hypante qui ne douta point de ce
que Crispe lui disoit, revint de
sa crainte, & se crût tellement
obligée au noble procedé de ce
Prince, qu'elle a avoüé depuis

qu'elle sentit naître alors dans
son cœur des mouvemens si favorables pour lui , qu'elle n'en
avoit jamais eu de pareils pour
personne du monde. J'accepte,
Seigneur , répondit-elle , cette
liberté que vous m'accordez ,
puisque cette action vous est si
glorieuse , & est si conforme aux
vœux de ceux qui m'ont donné
la vie. Mais si leur reconnoissan-
ce & la mienne peuvent mal
nous acquitter envers vous, soyez
du moins assuré , Seigneur , que
nous publierons incessamment
une si grande obligation , & que
j'estime plus la grace que vous
me faites aujourd'hui, que la vie
que vous m'avez conservée depuis peu, en me retirant du milieu des flâmes. Helas ! Madame,
reprit Crispe , avec un nouveau
transport , si j'ai eu sujet de me
loüer du destin qui m'a fait trou-

ver le moyen de vous rendre quelque service, je m'en plains maintenant ; puisqu'en vous voyant éloigner, je perds l'esperance de trouver aisément l'occasion de vous faire paroître que je croirois ma vie, & ma mort très - glorieuses, si j'employois l'une & l'autre pour vos interêts. La Princesse des Scythes rougit à ces paroles, & lui repliqua ; Ne me mettez pas davantage dans la confusion, Seigneur, que me cause l'impuissance où je me trouve, de reconnoître les obligations extraordinaires dont je vous suis redevable.

Crispe répondit à des paroles si reconnoissantes le plus respectueusement qu'une passion comme la sienne lui pouvoit inspirer, & dans ce sentiment, il la laissa préparer pour partir, pendant qu'il se fortifia dans sa

derniere réfolution , autant que
fon grand cœur & le defir dé
contenter Hypante l'exigeoient.

Malgré la violence qu'il fe
faifoit dans cette cruel'e fépara-
tion , il eût affez de force d'efprit , pour cacher à tout le monde la plus grande partie de fa
douleur. Pour Hypante , je ne
fçaurois vous reprefenter tous les
mouvemens oppofez de fon ame :
elle avoit une joye extrême d'ê-
tre bien - tôt libre , mais cette
joye étoit troublée de la crainte
que la politique d'Arfamis , &
le crédit des amis de Varandanes ne la forçaffent à époufer ce
Prince. Dans ce déplaifir elle
avoüoit à Oziane qu'il s'en mê-
loit un autre qui achevoit de
l'affliger , lorfqu'elle confideroit
qu'elle ne verroit peut - être ,
plus Crifpe , pour qui elle croyoit
n'avoir encore que de l'eftime ,

& de la reconnoiffance, & qu'elle étoit infenfiblement touchée de fe reprefenter la cruelle douleur que ce Prince auroit de la quitter.

Tout le refte du jour Crifpe & cette Princeffe furent occupez de la forte. Et le lendemain matin que j'entrai dans le cabinet du Prince, je le trouvai feul qui fe promenoit, avec des marques d'un chagrin plus grand qu'il n'avoit encore fait paroître. Je l'attribuai d'abord au déplaifir qu'il reffentoit de fe voir fi proche de fe féparer d'Hypante; mais il me fit bien-tôt connoître que ce n'en étoit pas la feule caufe. Voyez, Gallican, me dit-il (en me montrant des Tablettes qu'il tenoit) fi je ne fuis pas le plus pitoyable objet de la fortune, puifque l'Amour & la Gloire font de concert pour dif-

puter inceſſamment leurs droits
dans mon cœur. Après qu'il
m'eût dit ces mots, il m'obligea
de lire ce qui étoit écrit dans ces
Tablettes, qu'il me dit lui avoir
été apportées par un Cavalier inconnu qui attendoit ſa réponſe.
Je les pris, & j'y trouvai ces
paroles.

LE PRINCE
INFORTUNE',
A CRISPE CESAR.

Lorſque vous ſçavez les raiſons que j'ai de vouloir me
battre contre vous, je m'aſſure
que vous ne ſerez pas étonné,
qu'un Prince comme moi, qui
n'ignore pas votre merite, ſoit
votre ennemi, & attende à ſe
faire

faire connoître sur le lieu où le Cavalier qui vous rendra ce Billet vous menera. Si vous ne pouvez sortir seul, j'ai un Illustre Ami avec moi, que je pourrai opposer à celui que vous voudrez choisir pour vous accompagner.

Après ce défi (reprit le Prince, sans me donner loisir de rien dire) ne dois-je pas aller faire repentir ce nouvel ennemi, de vouloir me faire differer la liberté de la Princesse ? & après ce que j'ai promis à Hypante, ne dois-je pas tenir ma parole, avant que de le satisfaire ? Mais que dira cet Inconnu de mon courage, reprit-il, si je ne cours à lui dès le moment qu'il me défie ? & que pourra dire Hypante de mon amour, si je retarde l'effet de ma promesse ? A ces mots il se tût, & il entra

dans une nouvelle rêverie, qui
marquoit les cruelles agitations de son ame. Il ne vouloit
rien faire, ni contre sa gloire,
ni contre son amour; & il croyoit
impossible d'accorder alors ces
deux mouvemens si opposés.
Pour moi qui craignois que
quelque Persan moins genereux
que Varandanes, n'eût dessein
de le surprendre, je fis tous mes
efforts pour l'empêcher de se
commettre avec un Inconnu, &
lui representai qu'il devoit se
conserver pour son armée, &
pour Hypante, & qu'il pouvoit
être blâmé dans une conduite
pleine d'une confiance peu sou-
tenable, s'il tomboit dans les
piéges de ses ennemis; neanmoins je n'avançai rien sur son
esprit, il me fît connoître qu'il
ne pouvoit croire qu'un homme
qui se disoit Prince, & qui l'en-

voyoit défier de la sorte, fut capable d'une si noire trahison. Il ajouta qu'il y avoit des occasions où les hommes de courage, ne doivent pas suivre toutes les régles d'une prudence trop severe ; & comme il vit qu'il combattoit en vain ma juste crainte, il ne me contesta plus, mais il se mit à faire réponse au Billet de l'Inconnu , en ces termes.

CRISPE CESAR.

Comme j'ai reçû votre défi , après avoir promis à la Princesse des Scythes , de la remettre aujourd'hui entre les mains du Roi son Pere , vous ne trouverez pas mauvais que je m'acquitte de ce devoir , avant que de me trouver avec un second , au lieu que

vous me donnez pour nous bat-
tre ; soyez assuré que le jour ne s
passera pas que je ne vous donn
toute la satisfaction que vous de-
mandez de moi.

Vous voyez , Gallican , me
dit-il lorsqu'il m'eut fait voir ce
qu'il avoit écrit , que je profite
de vos conseils , puisque desi-
rant que vous m'accompagniez,
votre valeur me met à couvert
des insultes de mes ennemis.
L'adresse du Prince pour m'o-
bliger de ne condamner plus son
dessein , & l'honneur qu'il me
faisoit de se vouloir servir de moi
dans une pareille occasion, m'empêcherent de m'y opposer davantage ; ainsi, après que je me fus
avoüé indigne de l'honneur qu'il
me faisoit de me préferer à tant
de Princes , & de grands Capitaines , je fus rendre sa réponse

du Cavalier qui avoit apporté le Billet de l'Inconnu, & je me fis dire le lieu où son Maître nous attendoit.

Lorsque Crispe eût l'esprit en repos de ce côté-là, il alla prendre Hypante, qui étoit prête pour partir, & qui fut contrainte de souffrir qu'il l'accompagnât avec les Principaux de son armée, jusques à un petit Bourg qui étoit entre les deux Camps, & où le Roi des Scythes devoit s'avancer. Il ne voulut pas se mettre dans le Char qu'il avoit fait préparer à cette Princesse; autant par respect, que pour s'accoutumer plûtôt à ne la plus voir; aussi quoiqu'il marchât à cheval auprès d'elle, on pouvoit remarquer aisément, qu'il ne lui parloit pas toutes les fois qu'il l'auroit pû faire : & son esprit étoit si rempli de pensées fâcheu-

G iij

ses, qu'il étoit plongé dans une
profonde rêverie. Il en fut enfin
tiré par un bruit assez grand que
ceux qui étoient auprès de lui
causerent tout à coup. Ils étoient
accourus à un Cavalier armé su-
perbement, qui après avoir consideré quelque temps passer Hypante étoit tombé évanoüi. Cette avanture étonna Crispe, &
poussé par sa générosité accoutu-
mée, il s'avança vers ce Cavalier. Après qu'il eût consideré
avec surprise la beauté de son visage, où l'on remaquoit quelque chose de grand, il voulut le
faire porter dans le Camp pour
lui donner secours, mais quelques Cavaliers qui étoient à l'Inconnu s'y opposerent, & l'Inconnu même étant revenu peu
après à soi, & ayant remarqué
les soins que Crispe prenoit pour
lui; allez heureux & genereux

Prince, dit-il, en foûpirant, allez où votre bonne fortune, &
votre rare mérite vous appel-
lent, & laiffez un malheureux à
la merci de fon deftin impitoya-
ble. Le Prince defcendit alors de
fon cheval , & par des paroles
très-civiles voulut l'obliger de
fouffrir fes foins & de fe faire
connoître. Je ne puis ni ne dois
recevoir vos offres, lui répondit
ce Cavalier, qui s'étoit relevé,
& qui avoit abattu la vifiere de
fon Cafque, pour n'être pas reconnu de ceux qui s'affembloient
à l'entour de lui, & vous fçaurez
affez un jour qui je fuis. Souffrez cependant grand & heureux
Prince, continua-t-il, que je
me retire, & ne permettez pas
qu'on s'oppofe à mon deffein, je
fuis réfolu de périr avant que de
faire voir davantage ma foibleffe. Helas, lui répondit Crifpe,

en soûpirant à son tour , si vous
sçaviez ce qui se passe dans mon
ame , vous ne m'appelleriez pas
heureux comme vous faites , &
vous verriez que souvent ceux
qui paroissent les plus contens ,
sont ceux qui ont moins sujet de
l'être. Après ces paroles il le
laissa remonter à cheval , défen-
dant qu'on le suivit , & il s'en
retourna joindre la Princesse qui
avoit fait arrêter son Char , il
lui demanda pardon de l'avoir
quittée pour secourir cet Inconnu , Hypante ne le trouva pas
mauvais ; & encore qu'elle soup-
çonnât qui c'étoit , elle en donna
si peu de marques que Crispe ne
s'en apperçût point , bien qu'il
employât toute son adresse pour
découvrir ses sentimens sur cette
avanture. Nous nous remîmes
après en chemin , & nous arrivâmes bien - tôt proche du Bourg

où Crifpe devoit laiffer Hypante.

Quoique le Roi des Scythes
ne fut pas encore bien guéri de
fes bleffures, il s'avança avec la
Reine le plus loin qu'il pût, dès
qu'on l'eût averti qu'on nous
voyoit paroître, & il mit pied à
terre auffi-tôt que Crifpe. Le
Prince aida à marcher à Hypante jufqu'à ce qu'étant proche
d'Arfamis, recevez, Seigneur,
cette grande Princeffe, dit - il,
en le faluant avec un grand refpect, j'attens de votre bonté que
vous oublierez que je l'aye pri-
vée pendant quelque temps d'ê-
tre auprès de vous ; & elle me
fera la grace de vous témoigner
le déplaifir que j'en ai eu , & le
défir extrême que j'avois de vous
la remettre entre les mains. Je
me fouviendrai , continua-t-il,
de ce jour comme du plus glorieux de ma vie.

Je ne vous redirai point ce que
le Roi & la Reine des Scythes
répondirent à des paroles ſi obli-
geantes, il ſuffit pour le bien
comprendre, que vous ſçachiez
quelles devoient être les marques de leur reconnoiſſance envers un Prince qui leur rendoit
leur fille unique, Princeſſe la plus
accomplie, & la plus aimable
qui fut peut-être au monde;
& qui la leur rendoit avec tant
de généroſité, & ſi peu d'interêt, dans le temps qu'ils auroient
conſenti de donner leurs princi-
pales Provinces pour ſa rançon.
Après qu'ils eurent embraſſé
pluſieurs fois, en pleurant de
joye, cette belle Princeſſe, &
qu'ils eurent dit à Criſpe tout ce
que cette grande action méritoit, ils ſe remirent comme ils
étoient auparavant, & le Prince
voulut les accompagner juſques

au Bourg, où il paſſa quelques heures.

Malgré le déplaiſir mortel qu'avoit ce Heros de ſe ſéparer d'Hypante, il fut ſi bien maître de ſa douleur devant le monde, qu'il ne témoigna ni en ſon action, ni en ſes paroles, qu'une grande tranquilité d'eſprit,& peu differente de celle qu'il faiſoit ordinairement paroître : neanmoins comme il fut prêt de prendre congé du Roi & de la Reine, il lui fallut faire tous les efforts dont ſon grand cœur étoit capable pour demeurer dans cette moderation ; mais lorſqu'il ſe vit devant Hypante pour la quitter, il pâlit, il ſoupira, & il ne pût s'empêcher de dire, je vous perds, Madame, & ce qui fait mon déſeſpoir, c'eſt la crainte que ce ne ſoit pour toujours ; mais croyez de grace, reprit-il, en levant les yeux fur fon vifage, que plus j'ai montré de facilité à confentir à cette perte , plus mon ame en a été déchirée : & que fans l'efperance que j'ai que vous apprendrez bien-tôt ce que coûte à mon repos & à ma vie, la liberté que j'ai cru vous devoir rendre , de peur de vous déplaire ; J'expirerois à vos yeux , j'expirerois avant que de me féparer de vous.

Il ne pût achever ces mots fans verfer quelques larmes, qu'Hypante vit couler à regret, & avec des fentimens de compaffion, qui la firent rougir ; mais comme elle feignit de n'en entendre pas le fens , & qu'elle ne lui répondit qu'en des termes de civilité & de reconnoiffance , le Prince qui défiroit s'expliquer davantage : Pour me rendre capable de quelque confolation,

reprit-il, approuvez que je me
flate de l'esperance d'exposer encore quelque jour ma vie pour
votre service, & souffrez que
j'aye la gloire de n'être jamais
banni de votre souvenir.

Comme la Princesse n'avoit
pas encore entendu des discours
si passionnez de Crispe, elle en
fut dans une si grande confusion,
que ne sçachant que lui répondre, elle s'avança vers le Roi &
la Reine qui entretenoient quelques Romains qui étoient venus
avec le Prince. Arsamis voyant
qu'Hypante laissoit Crispe seul
s'avança vers lui, & l'empêcha
de faire paroître le trouble où il
étoit, ils se séparerent un moment après, & lorsque nous fûmes en chemin, je tâchai d'a-
doucir le déplaisir du Prince,
en lui representant que la rou-
geur, & la confusion d'Hypante,

étoient des témoignages de l'affection qu'elle avoit déja pour lui, mais il eût peine à se flater de cet avantage, & après avoir été encore occupé quelque temps de ce souvenir, il retira autant qu'il pût sa pensée d'un lieu où il laissoit celle qu'il aimoit avec tant d'ardeur, pour songer à s'aller battre contre le Chevalier Inconnu, selon la réponse qu'il lui avoit faite le matin. Il commanda à ceux qui étoient avec lui d'aller à Chimis, & sans leur dire son dessein, il ne voulut être suivi que de moi. Nous quittâmes le grand chemin, & fûmes en peu de temps au lieu assigné. Crispe croyoit y trouver deux vaillans Princes pour se battre contre nous, & il esperoit s'éclaircir des raisons qu'ils avoient d'être ses ennemis ; mais nous n'y vîmes que le Cavalier qui lui

avoit porté le Billet de l'Inconnu,
& qui lui preſenta d'autres Tablettes, où le Prince trouva ces
paroles.

LE PRINCE
INFORTUNE',
AU GENEREUX
CRISPE
PRINCE DES ROMAINS.

Comme la ſeule captivité de
la Princeſſe des Scythes m'a-
voit rendu votre ennemi ; depuis
que vous lui avez rendu ſi gene-
reuſement la liberté, je ne puis
qu'admirer une action ſi heroï-
que : J'avoüe que je vous regarde comme mon rival, mais puiſque le mérite ou la bonne fortune

doivent feuls nous gagner le cœur
*de notre Princeſſe, je vous diſpu_*
terai ce cœur par des ſervices qui
ſurpaſſeront, ſi je puis, ceux que
vous lui avez rendus, & par des
actions égales aux vôtres.

Criſpe trouva le procedé de
ce Prince, ſi digne d'un grand
Homme, qu'il l'eſtima ſans le
connoître, & fit tout ce qu'il lui
fut poſſible pour obliger le Cavalier qui lui avoit donné ce
Billet, de lui dire au moins le
nom de ſon Maître, s'il ne vouloit pas lui apprendre où il étoit;
mais il ne pût que lui faire avoüer
que c'étoit le même qui s'étoit
évanoüi à la vûë de la Princeſſe
des Scythes. Alors Criſpe voyant
qu'il n'en pouvoit ſçavoir rien
davantage, le laiſſa retourner en
liberté.

Pendant le chemin qui nous
reſtoit

restoit à faire pour aller à Chimis ; Eh bien , Gallican , me disoit-il , voici un nouveau rival ,
qui selon toutes les apparences ,
est un grand Prince , & dont le
procedé marque une ame grande & généreuse. Tout me donne presentement plus de crainte.
Ne se peut-il pas faire que la
Princesse des Scythes soit déja
touchée, ou ne la soit un jour,
d'un Prince aussi bien fait &
d'aussi grand mérite que paroît
cet Inconnu ? O qu'il m'eût bien
mieux valu que j'eusse demeuré
libre, & que la seule gloire eût
toujours rempli mes desirs ! Ce
Prince se tourmenta quelque
temps de la sorte , quoique je
pusse lui representer à son avantage.

Depuis ce jour-là , il se figura
tout ce qui pouvoit diminuer son
amour par les impossibilitez qu'il

H

y prévoyoit , foit du côté de Conftantin , qu'il jugeoit bien ne devoir pas faire la paix avec Arfamis , qu'à des conditions qu'il croyoit que les Scythes n'accepteroient jamais , puifqu'ils avoient alors leur Princeffe : foit du côté d'Arfamis , qui étant gouverné par des perfonnes attachées aux interêts de Varandanes , fe réfoudroit enfin à contraindre Hypante de rendre heureux le Roi de Perfe ; mais la rare vertu même de la Princeffe , lui donnoit plus de crainte , jugeant bien qu'elle obéïroit aveuglément au Roi fon Pere , lorfqu'il voudroit l'y obliger. Toutes ces prévoyances , au lieu de diminuer fon amour fembloient l'augmenter, fon grand cœur s'irritant par les difficultez qu'il trouvoit dans fes deffeins ; mais s'il eût eu autant

de bonheur à venir à bout de sa
passion, comme il eut de la résolution, ou (s'il faut ainsi dire)
de l'obstination à la combattre,
il vivroit sans doute comblé de
gloire & de plaisir, & ceux qui
ont eu l'honneur d'en être aimez, ne seroient pas accablez
d'une affliction insupportable, &
dont ils ne sçauroient être con-
solez de leur vie.

Gallican ne pût retenir ses
larmes à cette triste pensée, &
après les avoir essuyées il reprit
ainsi. Non seulement l'Empereur, & tout Bisance avoient
sçû que le Roi de Perse s'étoit
declaré contre nous, pour celui
des Scythes ; mais quelques domestiques du Prince, que Fauste
& Ablavius avoient gagnez, pour
leur faire sçavoir tout ce qu'il
faisoit en particulier, les instrui-
sirent par leurs lettres de la ré-

solution qu'il avoit prise de rendre la liberté à Hypante sans
rançon , & des marques qu'il
donnoit de l'amour qu'il avoit
pour elle. Faufte reçût un coup
mortel à cette nouvelle qui achevoit de lui ôter l'efperance, dont
elle s'étoit flattée jufqu'alors d'ê-
tre un jour aimée de Crifpe ; &
comme elle avoit beaucoup d'or-
guëil , elle tâcha d'oublier celui
dont elle étoit toujours mépri-
fée ; mais ce fut en vain , & le
fouvenir d'un Prince fi digne
d'être aimé , s'oppofoit entierement à fes réfolutions. Après
qu'elle eut fort foupiré de ce que
ce Prince s'étoit engagé avec
Hypante , elle fit une réfléxion
qui moderra fa douleur pour quelque temps. Quoi ! difoit-elle, fi
Crifpe aimoit la Princeffe des
Scythes, fe pourroit- il réfoudre
à la perdre en la remettant en li-

serté, lorsqu'il auroit tant de prétextes de ne le pas faire? mais aussi, reprenoit-elle, qui peut obliger ce Prince à rendre une action si extraordinaire sans retirer nul avantage pour le bien de l'Empire, sinon l'amour qu'il a déja pour Hypante? Il est vrai qu'il aime assez la gloire, pour rechercher tout ce qui lui en peut donner; néanmoins en cette rencontre il agit trop contre la gloire même, lorsqu'il choque la prudence & la politique, pour n'être pas aveuglé par une passion plus forte & plus douce; sans doute qu'il espere toucher Hypante & obliger Arsamis, & que par les sentimens favorables que cette action peut leur inspirer pour lui, il croit qu'ils le prefereront à Varandanes. Cette derniere pensée remit la douleur dans le cœur de Fauste, & la fit

soupirer plus cruellement qu'elle n'avoit encore fait. Ablavius
d'un autre côté qui voyoit que
l'amour qu'on difoit que Crifpe avoit pour la Princeffe des
Scythes , éloignoit entierement
Onezire du Trône , où il avoit
eu jufqu'alors quelque efperance de la faire monter , étoit dans
des inquiétudes effroyables :
néanmoins fon efprit plein d'artifice ne défefpera pas de trouver quelque moyen de rompre
toutes les mefures du Prince. Il
crût que Faufte pouvoit le fe-
conder dans ce deffein : alors
fans s'amufer à des plaintes inutiles, il fut la trouver , & après lui
avoir protefté qu'il n'étoit fâché
de ce qu'ils avoient appris de
l'amour de Crifpe , qu'à caufe
qu'elle y prenoit interêt , il lui
confeilla de faire meilleur vifage à l'Empereur qu'elle n'avoit

encore fair, & de lui reprefenter que la liberté d'Hypante étoit
contraire au bien de l'Empire,
à moins qu'on la lui accordât
par un traité qui acquît aux Romains quelques Provinces de la
Scythie : Et quand on ne déli-
vrera Hypante qu'à ces conditions, continua Ablavius, Arfamis & elle ne feront pas obli-
gez de faire rien pour le Prince,
& même ils feront offenfez de
ce qu'il ne pourra leur tenir la
parole qu'il leur a donnée : d'ailleurs j'efpere que l'éloignement
fera oublier à Crifpe une Princeffe qu'il ne pourra jamais poffeder, & qu'alors il ne penfe-
ra qu'à vous plaire. Faufte connut bien qu'Ablavius n'agiffoit
que pour fa Fille : mais comme
elle y trouvoit fes avantages,
elle lui promit de fuivre fon confeil, & de traiter fi bien Conf-

tantin, qu'il ne pût lui rien refufer. Ablavius lui dit alors qu'il
alloit avertir ce Monarque de la
conduite du Prince, & qu'elle
vint après achever ce qu'il auroit commencé. Ainfi ce perfide
fut trouver l'Empereur qui étoit
feul dans fon cabinet, & lui
dit avec un artifice digne de fon
efprit rufé, Quelque obligation
que j'aye, Seigneur, de ne vous
rien celer qui foit de la moindre
confequence à votre fervice; j'ai
trop de refpect pour le Prince, & j'admire trop les actions
inoüies qu'il fait tous les jours,
pour ne laiffer pas à quelque autre le foin d'apprendre à votre
Majefté, ce qui pourroit faire
croire qu'il paffe les limites du
pouvoir que vous lui communi-
quez; néanmoins, Seigneur, ce
qu'il eft prêt de faire, eft tellement au préjudice de l'Empire,
que

que je ne puis vous le cacher,
lorfque l'on peut encore y remedier : Ne m'en croyez pas, Seigneur, continua-t-il; mais voyez
ce qu'on me mande. Ce méchant
homme lui fit voir alors les
Lettres que ceux qui avoient
la lâcheté d'être fes efpions, lui
avoient écrites felon fon ordre.
Le fens de ces Lettres étoit que
Crifpe devoit faire une action
qui lui acquerroit plus de gloire
qu'aucune qu'il eût faite de fa vie,
qui étoit de rendre la liberté à
Hypante fans rançon. Qu'il auroit exécuté déja ce deffein he-
roïque, fi Varandanes ne fut
furvenu avec une grande Armée lui demander cette Princeffe; & que Crifpe croyoit qu'il
y alloit de fon honneur d'attendre qu'il fut en état qu'on pût
dire qu'il ne l'avoit délivrée que
par un feul motif de générofité;

& qu'enfin il se faisoit tellement
aimer des Officiers & des Soldats, qu'encore qu'ils connus-
sent que le Prince perdoit par
cette action, ils souhaitoient
que l'Empereur fut de leur sentiment, puisqu'il croiroît qu'il
valoit mieux satisfaire la noble
ambition de ce Heros, que d'a-
voir des grandes Provinces, ou
des Royaumes mêmes, pour la
rançon d'Hypante.

Aussi-tôt que l'Empereur eût
lû ces Lettres, qui étoient écrites
avec tant d'artifice, Ablavius
reprit sans lui donner loisir de
lui rien dire : Vous voyez donc,
Seigneur, que je n'ai pû éviter
de vous donner au plûtôt le déplaisir de sçavoir que le Prince
va perdre une avantage solide,
pour une gloire qui ne l'est point.
Et puisqu'elle n'est fondée que
sur une action que la politique

& la prudence condamnent, votre Majesté a encore le temps d'empêcher qu'il soit blâmé par une générosité à contre temps.

Constantin prévenu par des raisons si plausibles, loüa le zele & la conduite d'Ablavius, ne le croyant pas capable de vouloir nuire à Crispe, depuis qu'il lui avoit promis que s'il pouvoit porter Fauste à l'épouser, il employeroit toute son autorité pour faire le mariage d'Onezire & de ce Prince. D'ailleurs ce Monarque si grand en toutes choses (& qu'on ne pouvoit blâmer, que du trop d'Amour qu'il avoit pour Fauste, & de la crainte excessive qu'il eut toujours de perdre son autorité) commença d'apprehender que Crispe n'entreprit trop sur lui, & que ce ne fut une consequence pour le porter un jour à une plus grande hardiesse.

Cette confideration faifoit qu'il
fe croyoit offenfé, que ce Prince eut ofé promettre la liberté à
la Princeffe des Scythes fans fon
confentement : & de cette confideration particuliere venant à
une maxime generale, il penfoit
que les enfans des Souverains
n'aiment la vie de leur pere, que
tant qu'elle leur eft utile ; mais
que lorfqu'ils fe voyent affez ha-
biles, ou affez forts pour fe paffer
d'eux, s'ils ne leur fouhaitent la
mort, ils ne font pas fâchez qu'elle arrive.

Ablavius qui jugeoit bien que
fi l'Empereur ne lui répondoit
point, il ne penfoit rien à l'a-
vantage de Crifpe, & qui craignoit toujours que l'amour que
ce grand Empereur avoit pour
un fils fi illuftre & fi aimable,
n'étouffât les foupçons qui fe
vouloient faifir de fon ame;Je ne

doute point , Seigneur, dit-il ,
encore avec un nouvel artifice ,
que votre Majesté ne doive rien
craindre de l'obéiſſance & du
reſpeſt que le Prince vous doit ;
mais quand ce ne ſeroit que pour
empêcher qu'on crût qu'il y eût
manqué , je penſe qu'il n'eſt pas
hors de raiſon de vous oppoſer
à ce qu'il a réſolu de faire (ſans
doute) par un ſeul mouvement
de généroſité , qu'on pourroit
néanmoins interpreter à quelque
autre deſſein.

Conſtantin qui avoit l'interêt
de ſon état , de ſon autorité & de
ſon amour , qui l'obligeoient
d'agir , comme Ablavius lui con-
ſeilloit , s'y réſolut ſans peine :
mais il fut extrêmement embar-
raſſé comment il pourroit faire
ſuivre ſa volonté à Criſpe , après
qu'il la lui auroit fait ſçavoir. Il
employa tout le reſte du jour à

considerer plusieurs fâcheuses
consequences dont il étoit me-
nacé, si le Prince tomboit dans
la désobéïssance ; Il jugeoit que
s'il lui avoit une fois désobeï, il
pourroit aisément devenir rebel-
le,& sur tout dans un temps qu'il
alloit avoir une nouvelle armée
qu'il lui avoit envoyée depuis peu
de jours. Il consideroit ensuite,
ou qu'il seroit contraint de souffrir sa désobéïssance, ce qui lui
seroit h nteux, ou en l'en voulant punir, qu'il l'exposeroit à
se joindre au Roi des Scythes, à
lui rendre tout ce que les Romains tenoient sur lui, & à le
fortifier de ses troupes. Toutes ces
considerations lui firent connoître qu'il devoit laisser agir pour
cette fois la générosité de Crispe,
& feindre même de l'approuver,
dans le dessein de ne le laisser
plus maître absolu des troupes

qu'il lui donneroit à l'avenir. Il auroit demeuré dans ce sentiment s'il n'eût considéré qu'il pouvoit encore remedier à tant de malheurs , & retirer de grands avantages de la captivité d'Hypante , si lui-même alloit en Scythie. Ces pensées de son interêt n'auroient pas été assez fortes pour le faire résoudre de quitter Fauste , à moins qu'il eût crû qu'en faisant ce voyage , il pourroit obliger Arsamis d'accorder Hypante au Prince, ce qui leveroit tous les obstacles qu'il trouvoit à épouser Fauste. Il ne dit pas cette derniere raison à Ablavius sçachant trop ce qui l'empêcheroit de l'approuver. Ce favori qui avoit son but , & qui ne pénétroit pas dans les sentimens secrets de Constantin fut bien aise que ce Monarque eut pris cette résolution ; & pour l'y

confirmer davantage, il lui dit,
que fa prefence apporteroit de la
facilité à un accommodement
avec les Scythes, pour les Provinces qu'ils prétendoient leur
avoir été ufurpées par les Romains : ou pour le moins, qu'Arfamis & Varandanes feroient
plûtôt vaincus, étant attaquez
en même temps, l'un par un
auffi grand Heros que le Prince,
& l'autre par le plus grand, &
le plus vaillant Monarque du
Monde.

Comme Faufte eut fçû que
l'Empereur étoit réfolu d'aller
en Scythie, elle ne fongea plus
qu'à lui faire hâter fon départ, tant
elle craignoit que Crifpe ne délivrât Hypante avant qu'on pût l'en
empêcher. Les efperances qu'elle
commença de donner à Conftantin de lui être plus favorable, le firent partir en diligence,

pour être plûtôt de retour auprès d'elle , & pour l'obliger de ne s'opposer plus à ses désirs. Néanmoins , il ne pût la quitter sans se faire une cruelle violence , & il ne pût prendre congé d'elle sans sentir une extrême douleur.

Je ne vous dirai point les ordres qu'il donna au Prince Anniballianus son frere , à qui il laissoit le soin de ses affaires en son absence ; Je ne vous nommerai pas non plus tous les Princes, & les grands Capitaines qui le suivirent , dont Ablavius étoit du nombre. Il suffit que je vous apprenne qu'à la seconde journée qu'il eut mis pied à terre dans la Colchide , il joignit les troupes qui le devançoient sous la conduite du Prince Delmatius : Il leur fit défenses,& à celles qu'il avoit menées, de faire sçavoir sa venuë à qui que ce fut

de l'Armée du Prince. Il pré-
texta cette défiance du deſſein
qu'il avoit de ſurprendre les ennemis , qui ne craignoient pas
qu'il y fût en perſonne ; mais en
effet , c'étoit de peur que Criſpe
le ſç chant ne délivrât Hypante
avant qu'il pût l'empêcher.

Cette précaution étoit inutile,
puiſque lorſqu'il fut à une journée d'Aſtracan, il apprit que cette Princeſſe avoit été remiſe depuis quelque jours entre les
mains du Roi ſon pere. Il en eut
un très-grand déplaiſir, & quand
il ſçût que Criſpe étoit venu au-
devant de lui , il fut extrêmement en colere de ce qu'on n'a-
voit pas ſuivi ſes ordres, & il ſe
diſpoſa à le recevoir très - mal.
Cependant on couroit en foule
pour voir ce Heros qui étoit également aimé & admiré de tous.
Auſſi-tôt qu'il parut , ce ne fut

que des cris de joye , pour ceux
qui n'ofoient l'approcher par refpect , & les autres lui embraf-
foient les genoux & lui baifoient
les mains avec une ardeur pareille. Ce grand Prince les ac-
cüeillit d'une maniere fi remplie de bonté & de douceur, qu'il
n'y en eut point qui ne fe crût
heureux , ou d'en avoir été ca-
reffé , ou d'en avoir été regardé
feulement.

L'Empereur qui entendit ce
bruit , & qui connut ce qui le
caufoit , fut agité de mouvemens
differens : d'abord voyant fi proche cet illuftre Fils qui étoit fa
feule efperance , fon principal
appui , & celui qu'il avoit tant
aimé , il ne pût fe refufer à la
joye que lui devoit caufer fa vûë :
puis confiderant qu'il avoit donné la liberté à une grande Princeffe fans fon ordre , que par cet-

te action il entreprenoit, ce lui
sembloit, sur son autorité, il
rentra de nouveau en colere, &
trouva mauvais même qu'il eût
été reçû avec tant d'applaudisse-
mens.

Il étoit dans cette confusion
de pensées lorsqu'il vit paroître
ce fameux Heros, suivi de quantité de Princes & de grands Capitaines qu'il avoit menez, &
qui l'avoient joint en ce lieu:
malgré la colere où il étoit alors,
il lui parut que toute la personne du Prince avoit acquis de
nouvelles graces ; & il sentit à
cette vûë que son cœur s'ouvrit,
& que ses entrailles s'émûrent.

Quelque effort qu'il fit pour
étouffer un mouvement si juste,
& si naturel, il lui fût impossible
de s'y opposer, & de n'aller pas
au-devant du Prince pour lui
donner des témoignages d'une

amour veritable, & pour loüer
hautement les actions merveil-
leufes qu'il avoit faites en Scythie.

Lorfque Crifpe eût le temps
de parler ; Seigneur, lui dit-il,
je mériterois peu d'être Fils du
grand Conftantin, fi je ne tâchois
de marcher fur fes pas : Et comme votre Majefté ayant foûmis
la plus grande partie de l'Univers, ne m'a prefque rien laiffé
à faire par les Armes ; j'ai voulu
avoir la gloire d'empêcher l'effet du défefpoir d'une Illuftre &
belle Princeffe , en la rendant
au Roi fon pere , après l'avoir
retirée des flâmes où elle s'étoit
précipitée pour éviter fa captivité. Je ne doute pas que le grand
& genereux Monarque , dont je
tiens la vie, n'approuve ce qu'il
auroit fait lui-même, s'il eût été
à ma place. Tant d'efclaves à qui

il a donné la liberté , & tant de
Rois qu'il a rétablis dans leurs
Etats, après les avoir vaincus,
m'ont appris comme j'en devois
uſer envers une des plus grandes
Princeſſes de la Terre. Conſtantin ſe troubla de nouveau à ce
diſcours qui lui repreſentoit encore toutes les ſuites fâchĕuſes
qu'il s'étoit figurées , & que le
traître Ablavius lui avoit voulu
faire apprehender ; néanmoins
la preſence de Criſpe le rem-
pliſſoit tellement de ſentimens
de joye & de tendreſſe , & d'ailleurs, il jugeoit ſi bien qu'il étoit
important de ne témoigner point
qu'il ſe fâchoit de ce qu'il ne
pouvoit plus empêcher , qu'il
crût lui devoir dire qu'il ne con-
damneroit jamais ſa conduite.
Mais mon Fils, ajoûta-t-il, à deſſein , il y a des actions de généroſité qui choquent trop la pru-

dence, & les maximes de la Politique, & ces grandes actions
doivent être consultées avant que
de les faire. Un jeune Prince ne
doit pas considerer sa seule réputation, mais le bien de l'Etat, &
le repos des Peuples.

L'Empereur n'en dit pas davantage, voyant bien que Crispe connoissoit son intention. Depuis ce jour, il ne lui en parla
plus, ce qui déplût extrêmement
à Ablavius, qui affecta néanmoins devant le Prince de le
loüer d'avoir donné la liberté à
Hypante. Ce perfide avoit toujours agi avec tant d'adresse &
de dissimulation, que moi-mê-
me j'y étois souvent trompé, encore que le Prince m'assurât
quelquefois qu'il étoit son ennemi, & qu'il étoit capable de
tous les excès où son ambition
demesurée pouvoit l'engager.

Auſſi-tôt que le Roi des Scythes eût appris la venuë de l'Empereur, les grandes obligations
qu'il avoit à Criſpe, l'obligerent de lui faire ſçavoir qu'à ſa
conſideration il étoit diſpoſé de
terminer la guerre qu'il avoit
contre les Romains. Le Prince
rempli de joye d'avoir une occaſion ſi favorable à ſon amour,
agit avec tant d'adreſſe & de prudence, qu'il fit conſentir l'Empereur à traiter d'accommodement avec Arſamis. Après que
ces deux grands Monarques eurent fait publier dans leurs
Camps une Tréve d'un mois &
demi, ils nommerent chacun de
ſon côté, des hommes capables
d'un traité de cette importance.

Varandanes qui ne pouvoit
pas encore agir, à cauſe de la
bleſſure qu'il avoit reçûë au bras
droit, comme je vous ai dit,
apprit

apprit cette nouvelle avec une
douleur infinie. Il jugeoit bien
que Crifpe verroit tous les jours
la Princeffe , & il craignoit
qu'Arfamis ne favorifât ce Prince à fon préjudice, dans la penfée que la paix ne pouvoit diffici-
lement fe conclure entre les Romains & les Scythes , que par
le Mariage de Crifpe & d'Hypante. Il n'efperoit rien du côté
de Conftantin qu'il avoit irrité
par fa conduite ; & l'impoffibi-
lité qu'il y avoit de faire agir la
Reine & Hypante en fa faveur,
le metroit dans une efpece de
défefpoir , & lui faifoit accufer
fon mauvais fort , qui l'engageoit à aimer une Princeffe dont
l'averfion pour lui , ne lui étoit
que trop connuë : néanmoins il
efpera enfin que par le pouvoir
qu'avoit Othmar fur Arfamis,
& par le crédit des Scythes qui

K

étoient dans ſes interêts., on
pourroit empêcher le malheur
qu'il craignoit tant. Il envoya
pour cet effet dire à Arſamis,
qu'il le ſupplioit de ne faire
point la paix à des conditions
qui lui fuſſent déſavantageuſes,
l'aſſurant que les plus grandes
forces de Perſe étoient prêtes de
s'avancer pour ſon ſervice contre les Romains.

Cependant Othmar & ſes autres amis Scythes, qui avoient
reçû de nouvelles proteſtations
de ſa reconnoiſſance s'ils le ſer-
voient en cette occaſion, repre-
ſenterent à Arſamis qu'il ne pouvoit conſentir à la paix, que Varandanes ne fut compris dans le
Traité, puiſqu'il avoit embraſſé
ſi généreuſement ſes interêts.
Ils lui dirent pluſieurs autres raiſons aſſez fortes pour le faire entrer dans leurs ſentimens.

Quoi qu'Arſamis fut encore
fâché contre le Roi de Perſe d'a-
voir voulu enlever Hypante , ce
trop facile Monarque fit declarer à l'Empereur ſon intention
ſelon le deſir d'Othmar , & des
autres Scythes affectionnez à Varandanes.

Conſtantin qui étoit extrêmement irrité du procedé du Roi
de Perſe , ne voulut jamais le
comprendre dans ce traité , quoique le Prince pût faire , pouſſé
par ſon inclination généreuſe &
par le déſir qu'il avoit de voir
achever une paix , où en la trai-
tant, il pouvoit trouver le moyen
de parler des interêts de ſon
amour. Lorſque ce Prince eut
déſeſperé de gagner Conſtantin
en faveur de Varandanes , il crût
que s'il lui faiſoit ſçavoir qu'il
aimoit Hypante , & qu'il déſi-
roit ardemment de l'épouſer, ce

Monarque approuveroit son dessein, pour avoir moyen de faire resoudre Fauste à se donner à
lui : car le Prince n'ignoroit pas
l'amour que l'Empereur avoit
pour elle. Avant que de le faire
agir envers Arsamis, il jugea
qu'il devoit avoir le consentement d'Hypante, & qu'autrement ce seroit l'offenser, au lieu
de se la rendre favorable ; mais
la connoissance qu'il avoit de la
modestie de cette Princesse, le
mettoit dans un étrange embarras : il ne sçavoit comment lui
parler de son Mariage, n'ayant
pas eu encore l'assurance de lui
parler ouvertement de sa passion;
ainsi trouvant du danger de tous
côtez ; Ah ! que je suis malheureux, disoit-il en soupirant, d'a-
mour & de douleur, je me vois
réduit aux mortelles inquiétudes que j'avois toujours craint

de souffrir , & je goûte prefentement l'amertume d'une paffion
qui n'a triomphé de moi que par
la foibleffe de mon ame.

Il n'eût pas plûtôt dit ces paroles qu'il s'en repentit: Quoi!re-
prit-il avec émotion , y a-t-il de
la foibleffe à aimer la plus grande , la plus belle , & la plus ver-
tueufe Princeffe de l'Univers?
Eft-ce une foibleffe en Varandanes d'avoir eu de l'amour pour
elle ; & l'Illuftre Romulus & le
vaillant Vizomar, font-ils moins
dignes d'eftime pour avoir aimé
une Princeffe fi aimable? Et n'eft-
ce pas une marque de la grandeur de leur ame , que de l'aimer encore malgré toutes fes rigueurs ? Il n'y a donc point de
foibleffe , reprit-il , d'adorer la
divine Hypante ; & depuis que
j'ai des fentimens d'adoration
pour ce qui la diftingue de tou-

tes les Princesses du monde, je
me sens plus porté à de grandes
actions, & plus capable de les
exécuter. Travaillons, travaillons, reprit-il, un peu après, à
posseder ce qui pourroit faire le
bonheur d'un Dieu même, s'il
étoit capable de passion comme
les hommes.

Cette résolution étant prise, il
ne songea plus qu'à l'exécuter. Il
lui fallut néanmoins attendre
encore quelques jours; parce que
pendant la Tréve, il avoit donné diverses sortes de divertissemens à Hypante, & on se pré-
paroit encore pour une joûte dont
le vainqueur devoit recevoir le
prix de la main de cette Princesse. Je ne vous en parlerois pas
non plus que des autres divertissemens qui précederent, s'il
n'y fut arrivé une avanture assez
particuliere.

Entre les Camps des Romains & des Scythes, il y avoit une plaine dont on s'étoit déja servi aux autres spectacles : on y dressa les échafauts pour placer d'un côté le Roi, la Reine, la Princesse des Scythes, & des Femmes de qualité : & de l'autre côté pour placer l'Empereur, Jule Constance son frere, & quelqu'autres Princes dont l'âge les dispensoit de cette sorte de combats.

Pour ne vous dire rien d'inutile, je ne vous nommerai point ceux qui entrerent dans la Lice, ni je ne vous parlerai point de la richesse de leurs Armes, & d'autres particularitez que vous sçavez qui rendent ces divertissemens agréables & magnifiques, moins encore vous nommerai-je ceux qui furent vaincus par Crispe : il suffit de vous appren-

dre qu'après qu'il eut demeuré
vainqueur , il s'approcha de l'é-
chafaut de la Reine, pour recevoir le prix que la Princesse devoit donner. A peine se fut-il
arrêté devant elle pour descen-
dre de cheval , & pour aller être
recompensé de sa valeur & de
son adresse , par cette main qui
lui étoit si chere , qu'on vit entrer dans les barrieres un Cavalier d'une mine admirable, armé
si richement que les pierreries
étoient employées avec profu-
sion sur ses armes, & dont l'Escu
étoit orné du beau portrait d'Hypante, peint avec tant d'art qu'il
n'y avoit rien qui lui ressemblât
davantage. Ce Cavalier s'avan-
çant vers le Prince lui cria , qu'il
avoit encore à le vaincre avant
que de recevoir le prix avec justice. Crispe qui s'étoit tourné à
cette voix; J'y consens , lui dit-il,
je

je serois marri que j'euſſe perdu
la gloire de briſer une lance contre un Cavalier qui fait vanité
d'être du nombre des adorateurs
de la Princeſſe des Scythes. Les
Juges du Camp ne vouloient pas
qu'il combattit , diſant que le
tournois étoit fini : mais le Prince ne s'arrêtant point à leurs raiſons, commanda qu'on leur donnât des lances ; & après que ce
Cavalier eut pris un autre Eſcu
des mains de l'un des ſiens , ils
pouſſerent leurs chevaux l'un
contre l'autre avec tant d'impetuoſité qu'ils briſerent leurs
bois en mille éclats ſans avoir
été ébranlez. La ſeconde Courſe fut pareille à la premiere : A
la troiſiéme, Criſpe qui n'avoit
pas accoûtumé de trouver une ſi
grande réſiſtance , fit tous les
efforts dont il étoit capable; mais
il n'eût pas plus d'avantage cette

fois que les autres, & leurs Chevaux pûrent à peine se relever &
obéir à la main qui les conduisoit. Le Prince eût tant de dépit
qu'un Amant d'Hypante lui re-
sistât si long-temps, qu'il tira son
épée aussi-tôt que lui, & se mit
en colere lorsque les Juges du
Camp voulurent l'empêcher de
se battre de la sorte.

Le Roi des Scythes n'osoit
s'opposer à ce Combat à cause
de l'Empereur, qu'il jugeoit en
avoir plus de droit que lui : &
l'Empereur n'osoit l'empêcher de
lui-même, de peur qu'on ne dît
qu'il craignoit pour le Prince.
Ainsi ces Vaillans guerriers eurent toute la liberté qu'ils de-
mandoient.

Ces deux mouvemens si puissans de l'amour & de la gloire
étant encore augmentez par la
presence de celle à qui ils vou-

Joient faire paroître leur valeur,
les animoit tellement l'un contre l'autre, qu'ils ne se portoient
point de coups qui ne fissent
quelque blessure , & qui ne jet-
tassent l'effroi dans les cœurs de
tous ceux qui les regardoient.

Après un assez long Combat,
Crispe qui avoit un déplaisir
extrême de ce que sa valeur le
secondoit si mal en cette occasion , s'approcha de son ennemi,
& l'embrassa pour avoir au moins
l'avantage de l'enlever de dessus
son Cheval ; mais l'Inconnu qui
prévit son dessein fit la même
chose , & après s'être long-temps
secouez inutilemeut , ils pousse-
rent leurs chevaux avec tant de
force qu'ils furent renversez tous
deux sur la poussiere sans se des-
saisir , se trouvant l'un & l'autre,
tantôt dessus & tantôt dessous.
Après qu'ils eurent éprouvé quel-

que temps leurs forces, & qu'ils
defefpererent de fe vaincre de la
forte, ils fe releverent en même
temps, fe tenant toujours em-
braffez : mais comme l'Inconnu
voulut fe débarraffer des mains
de Crifpe, le Prince lui faifit
fon Cafque, & le tira avec tant
de violence, que les courroyes
s'étant rompuës, il le lui arra-
cha de la tête.

Jufques alors on avoit crû que
ce Cavalier étoit le Roi de Perfe, car encore qu'on eût dit que
fa bleffure n'étoit pas guérie, on
doutoit s'il n'avoit pas fait courir ce bruit pour venir fe battre
contre Crifpe ; mais on fut dé-
fabufé à la vûë de ce Cavalier.
Bien qu'il fut trop éloigné pour
pouvoir reconnoître fon vifage,
il étoit affez proche pour voir
que ce n'étoit point Varandanes.

Cependant l'Inconnu s'avança vers Crispe en lui portant de
grands coups sans considerer qu'il
avoit la tête défarmée. Avouë-
toi vaincu, ou reprens ton Cafque, lui difoit Crispe, en s'é-
loignant, & en parant à mefure
que ce vaillant Inconnu s'ap-
prochoit de lui, je ne fçaurois
fans honte me fervir d'un pareil
avantage. L'Inconnu le preffa
quelque temps pour l'obliger de
fe battre, & lui dit même pour
l'irriter, ce que votre bonne fortune vous donne fur moi, Prince, n'étant que la fuite de mes
malheurs, ne vous arrêtez point
par une générofité inutile. Ce
n'eft pas à ma bonne fortune, répondit Crispe, que je prétend
devoir ma victoire, nous allons
combattre armes égales. A ces
mots, il délaça fon armet, parut
la tête nuë auffi-bien que fon

ennemi, & s'avança pour cont-
tinuer leur combat. Viens prefentement éprouver, dit-il, qui
aura ou pus de valeur ou plus
de bonne fortune. Alors il lui
fit tomber un fi grand coup fur
la tête, que fi l'Inconnu n'eût oppofé fon Efcu, il en auroit été
étourdi. Que les grands coura-
ges font faciles d'être touchez
par une action extraordinaire !
L'Inconnu qui avoit fi fort preffé
Crifpe de le combattre avec
avantage, le voyant alors en un
état où ce Prince couroit autant
de péril que lui, rempli d'admiration d'une générofité fi furpre-
nante ; arrêtez-vous grand Prince, lui cria-t-il, vous m'avez
vaincu par des armes qui peuvent feules me vaincre. Et puifque le cœur d'Hypante vous eft
plus favorable qu'à moi, & que
je m'avouë vaincu par votre for-

tune & par votre générofité, je
vais chercher ailleurs la fin de
ma cruelle deftinée. Ces paroles
furprirent tellement Crifpe qu'il
s'arrêta pour examiner ce qu'il
devoit faire : cependant il donna
tout le temps dont l'Inconnu
avoit befoin pour reprendre fon
Cafque, & pour remonter fur
fon Cheval qu'un des fiens lui
amena. Après il le vit partir avec
tant de promptitude & de vîtefle
qu'il difparut en un moment,
laiffant tous les fpectateurs char-
mez d'une valeur fi extraordinaire, & d'un procedé fi genereux.

*Fin du Livre Premier de la
Seconde Partie.*

L iiij

SAPOR

ROY
DE PERSE.

SECONDE PARTIE.

LIVRE SECOND.

N auroit couru après ce vaillant Inconnu, ſi Criſpe ne l'eût empêché, ne voulant pas le forcer à ſe faire connoître. Cependant on fit divers jugemens ; les uns diſoient que c'étoit Romulus, & les autres que c'étoit Vizomar, s'imaginant avoir remarqué dans ſon action & sur son visage de quoi se confirmer dans cette créance.

A ces mots, le bel Indien rougit & soûpira ; mais Gallican dont le cruel déplaisir empêchoit qu'il y fit refléxion , poursuivit : Le Prince n'ayant plus d'ennemi à combattre , alla demander le prix qu'il avoit si bien mérité. Il le reçût donc de la main de la Princesse des Scythes , & il fut incomparablement plus glorieux de cet honneur que d'avoir demeuré vainqueur de tant de vaillans hommes. Il s'en retourna dans le Camp avec cette satisfaction qui lui fit passer doucement la nuit , malgré la connoissance qu'il avoit qu'un aussi vaillant homme qu'étoit le genereux Inconnu , fut au nombre de ses rivaux. Le lendemain il alla revoir Hypante dans le dessein de lui demander son consentement

afin de faire agir l'Empereur envers le Roi des Scythes pour leur
mariage. Il ne pût parler à la
Princeffe auffi-tôt qu'il l'auroit
vou'u : Arfamis l'arrêta , & lui
témoigna qu'il avoit un déplaifir extrême de ne pouvoir conclure la paix à moins que Conftantin ne comprit Varandanes
dans leur Traité. Crifpe lui reprefenta en vain , qu'il falloit
donner la fatisfaction à Conftantin qu'il demandoit alors , &
qu'affurément après qu'il auroit
fait la paix avec les Scythes , la
Reine mere de Varandanes obtiendroit tout ce qu'elle voudroit
de l'Empereur fon Frere , qui
l'avoit toujours aimée tendre-
ment. Arfamis repliqua qu'encore qu'il crût ce qu'il difoit , il
ne pouvoit faire la paix qu'à cette condition , parce qu'il feroit
blâmé de tout le monde , s'il

abandonnoit les interêts d'un Prince qui n'avoit point eu d'égard aux siens pour l'obliger. Cette réponse fit connoître à Crispe qu'il ne devoit rien esperer par cette voye ; il en fut extrêmement affligé , & il alla avec une douleur incroyable voir la Princesse des Scythes , qu'il trouva seule avec ses Femmes. Du commencement de sa visite il se contraignit le plus qu'il lui fut possible pour cacher son déplaisir; mais après qu'Hypante lui eût témoigné la part qu'elle prenoit dans tous ses avantages , il retomba dans une mélancolie si profonde qu'il ne pût s'empêcher de la faire paroître. La Princesse lui en demanda obligeamment la cause. Helas ! Madame , répondit-il en soûpirant, j'ai tous les sujets du monde de m'affliger , je viens d'apprendre du Roi

votre Pere qu'il veut comprendre le Roi des Perfes dans fon
Traité , & je fçai que l'Empereur eft tellement offenfé contre
Varandanes , & que ce Prince eft
fi peu porté à le fatisfaire , que je
defefpere de voir conclure cette
paix, que je defire fi ardemment?
Plaignez , Madame , dit-il , en
la regardant avec des yeux qui
marquoient le trouble de fon
ame , plaignez la dure neceffité
où je me trouve réduit , de porter les armes contre le Roi votre
pere, ou de déplaire au mien en
ne le faifant pas. Votre devoir
vous oblige , Seigneur , répondit Hypante , de ne fuivre que
les fentimens de l'Empereur ; &
puifque cette paix, pour qui j'ai
fait tant de vœux , & pour qui
vous avez pris tant de peine ne
fe peut conclure , laiffez-en l'évenement à la conduite du Ciel

qui peut changer en un moment
le cœur de ces Monarques, dont
les fentimens font encore fi oppofez. Que vous augmentez ma
douleur, Madame, reprit Crifpe, & que votre difcours me témoigne bien votre indifference !
Il n'en eft pas de même de moi,
Madame, la guerre me feroit
indifferente s'il ne falloit que
combattre contre tous les autres
Rois de la Terre, & bien que
je fois réfolu de ne porter plus
les armes contre celui qui vous a
donné la vie, je ne puis fonger
fans défefpoir que poffible ferai-
je affez infortuné pour être comp-
té au nombre de vos ennemis,
lorfque les Romains continuë-
ront de l'être des Scythes. Ne
croyez point, Seigneur, interrompit Hypante, touchée de ces
paroles, que je fois affez injufte
pour ne confiderer pas ce que

vous avez fait pour la paix , &
que je fois aſſez ingrate pour ne
reconnoître pas toute ma vie les
grandes obligations que je vous
ai. Vous ne me devez rien , Madame , repliqua le Prince , & je
n'ai rien fait pour vous en com-
paraiſon de ce que je voudrois
& que je devrois faire ; cependant je ſuis ſi malheureux que
je defefpere d'avoir jamais les
occaſions de vous rendre des ſervices proportionnez à mes defirs. Mais , Madame , continua-
t-il d'un ton de voix mal aſſuré ,
dans l'extrêmité où je me trouve
réduit , ſouffrez que je vous diſe
que vous pouvez ſeule mettre la
paix entre Arſamis & Conſtantin ; & ſi j'oſois eſperer que vous
euſſiez la bonté de vous y employer , je ferois bien-tôt le plus
heureux de tous les hommes. Hypante qui ne comprenoit point

le fens de ces paroles ; Vous me
faites une injuſtice , Seigneur,
dit - elle , de douter que je ne
veuille faire tous mes efforts
pour cette paix , que je ſouhaite
auſſi - bien que vous.

Je ne doute point , Madame,
répondit Criſpe , de votre bonté ; mais ce que jai à vous pro-
poſer eſt ſi au-deſſus de mes eſperances , & ſurpaſſe tellement
mon mérite, que ſi je ne conſide-
rois que c'eſt la ſeule voye pour
empêcher que vous ne ſoyez ſa-
crifiée à la paſſion de Varandanes , je n'aurois jamais oſé vous
en parler ; mais puiſque ce Prince qui vous a offenſée en tant de
rencontres , eſt prêt de vous obtenir du Roi votre Pere : j'ai crû
dit - il , d'une voix mal aſſurée ,
& en ſe jettant à genoux devant
elle , que vous ne condamneriez
pas l'audace que j'ai de vous ſup-

plier de fouffrir que je faffe agir
Conftantin auprès d'Arfamis
pour être préferé à Varandanes.
Je fçai que ma hardieffe eft extrême, d'afpirer à une fi grande
gloire, & que du moins avant
que de vous la faire paroître, je
devois vous avoir fervie des an-
nées entieres, par des fervices
dignes de vous, & proportionnés
à la grandeur de ma paffion ; mais
ce qui m'y oblige eft trop fort
& trop preffant pour attendre davantage. C'eft donc à vous, Madame, à confiderer prefentement,
fi vous aimez mieux être à Varandanes, que de m'accorder le
confentement que je vous demande.

Hypante d'abord fe trouva
embarraffée de ce difcours, tant
pour les raifons que Crifpe lui
difoit, que pour l'eftime fingu-
liere qu'elle faifoit de lui ; elle
lui

lui répondit, Que puis je vous
dire, Seigneur, dépendant comme je fais, & étant obligée de
fuivre aveuglément la volonté
du Roi mon Pere; ce n'eft donc
pas à moi de qui vous devez attendre ce que vous defirez.

A cette réponfe Crifpe fut
faifi d'une douleur qu'on ne fçauroit reprefenter, & ayant demeuré quelque temps fans pouvoir
proferer une parole; Ah ! Madame, dit-il, puifque contre
mon efperance vous êtes enfin
dans une difpofition fi favorable
à Varandanes, je n'ai plus qu'à
m'abandonner au défefpoir avant
que de le voir au comble de la
felicité. Ce n'eft pas mon intention, reprit Hypante, touchée
du déplaifir du Prince; j'aurai
toujours de l'averfion pour le Roi
de Perfe, & de l'eftime & de la
reconnoiffance pour vous; mais

M

confiderez que je ne puis regler
mon choix que fur les defirs du
Roi mon Pere. Cette conduite,
pourfuivit-elle d'un air obligeant, ne doit pas vous déplaire, vous êtes trop jufte pour la
condamner, & vous devez être
fatisfait que je donne tout le prix
que je dois à votre mérite & à
ce que vous avez fait, & que je
ne doute pas que vous voudriez
faire pour moi. Crifpe avoit une
trop grande connoiffance de la
vertu délicate d'Hypante, pour
n'être pas fatisfait de fa réponfe, & fi la Reine ne fut furve-
nuë, il lui auroit fait paroître la
joye qu'il en recevoit ; mais il
ne pût le faire que par fes regards
qui exprimoient affez bien ce
qui fe paffoit alors dans fon ame.

Après qu'il eût entretenu
quelque temps la Reine fur le
peu d'apparence qu'il y avoit de

faire la paix , il s'en retourna
dans le Camp avec deffein de
revoir la Princeffe avant que de
fe declarer à Conftantin ; mais
ce qui arriva deux jours après
en ôta le moyen.

Varandanes qui avoit été
inftruit de tous les divertiffe-
mens que Crifpe avoit donnez
à Hypante , & ce qui s'étoit paffé le jour qu'il remporta l'honneur de la Joûte , où il reçût le
prix de la main de cette Princeffe , ne douta plus qu'elle n'aimât ce Prince. Je n'ai pas appris
tout ce qu'il dit dans fes tranf-
ports ; mais je fçai bien qu'ils
furent extrêmes , & qu'il tint des
difcours conformes à l'excès de
fa paffion , & à la violence de
fon humeur. Il n'auroit pas été
capable de la moderer fi-tôt , fi
ceux qui avoient la liberté de lui
dire leurs fentimens ne l'euffent

M ij

obligé de faire expliquer Arſamis pour la derniere fois , & de
lui repreſenter tout ce qui pouvoit le réſoudre à ſe ſervir de ſon
poxtorité ſur Hypante.

Il approuva ce conſeil , & bien
que ſa bleſſure fut preſque guérie , il ne voulut point aller dans
le Camp des Scythes pour les raiſons que vous ſçaurez enſuite ;
il y envoya ſeulement des perſonnes adroites en qui il ſe confioit , mais qui n'avancerent rien
auprès d'Arſamis. Il lui rappor-
terent ſeulement de ſa part qu'il
ne feroit plûtôt jamais la Paix
avec l'Empereur que de la con-
c'ure ſans lui ; & qu'il eſperoit
ſurmonter peu à peu l'averſion
de la Princeſſe ; mais que la tendreſſe qu'il avoit pour elle faiſoit qu'il ne ſe ſentoit pas aſſez
cruel pour lui faire aucune violence.

Le Roi de Perfe qui s'étoit préparé à recevoir une pareille réponfe, n'en fut pas étonné, mais il en fut fi irrité, que cela lui fit hâter la réfolution qu'il avoit prife d'obtenir par force ce qu'on refufoit à fon amour. Othmar l'avoit fait avertir fecretement, qu'Arfamis (qui voyoit que la Tréve avec Conftantin alloit finir, & qu'il n'y avoit point d'apparence de terminer leurs differens) devoit envoyer la Reine & la Princeffe dans un Fort qui eft fur le Fleuve Jaïch, & que ce qui avoit porté Arfamis à éloigner du Camp les Princeffes, étoit particulierement la crainte que dans le temps que les Scythes combattroient contre les Romains, Varandanes n'enlevât Hypante, comme il avoit voulu déja faire, ou du moins qu'il ne

se servit d'une autre occasion,
plus favorable; mais en les en-
voyant dans ce Fort, il les croyoit
en sûreté. Varandanes fut aussi
averti par Othmar du jour que
ces Princesses devoient partir, &
qu'elles n'avoient pas une forte
escorte, n'y ayant apparemment
rien à craindre du côté des Romains, l'Armée des Scythes
étant au-devant; ni de celui des
Perses, parce qu'Arsamis croyoit
qu'elles seroient dans le Fort
avant qu'on eût eu connoissance
de leur départ.

Le Roi de Perse possedé de sa
passion prit un nombre conside-
rable de ses meilleurs soldats, &
fut couper chemin aux Scythes;
mais lorsqu'il les eut découverts,
il ne voulut pas se presenter sans
garder quelques mesures; il envoya dire à la Reine, qu'ayant
appris leur dessein, il s'étoit

avancé pour avoir l'honneur de
l'accompagner jufques au lieu où
l'on la conduifoit , & qu'il la
fupplioit très - humblement de
fouffrir , qu'il eut l'avantage de
lui fervir d'efcorte : la Reine fe
trouva dans un étrange embarras , elle ne doutoit point qu'il
ne fe fut avancé pour enlever
Hypante, & qu'il n'exécutât fon
deffein , ce qui les mettoit dans
un trouble qu'on ne fçauroit exprimer.

Eurileon alla trouver Varandanes de la part de la Reine ,
pour l'obliger de s'épargner la
peine qu'il vouloit prendre , &
quoiqu'il lui vit quatre fois plus
de Perfans qu'ils n'étoient de
Scythes , il fe feroit oppofé au
deffein violent de ce Prince, fi
la Reine ne l'en eut empêché ,
dans la penfée que cette défenfe
auroit été inutile , & efperant en-

core de détourner par son adresse , le malheur qui les menaçoit
ainsi Varandanes les joignit avec
sa suite,& fut reçû civilement de
la Reine , qui crût le devoit faire alors ; ainsi la Princesse ne
pût s'empêcher de lui témoigner
une partie de son indignation
quand il la salüa , & que par un
discours recherché il prétendit
lui faire croire qu'il ne les avoit
jointes , que pour les mettre en
lieu de sûreté contre la tyrannie
des Romains , qui , selon qu'il
disoit, ayant été avertis qu'elles
alloient au Fort de Jaïch , y
avoient envoyé par Mer pour
l'enlever avant qu'elle s'y fut en-
fermée : sous ce prétexte , il leur
fit prendre le chemin de la Mer;
la Reine s'en plaignit , & ce
Prince qui faisoit ce qu'il pouvoit pour les moins irriter , leur
assura qu'il n'avoit autre intention

tention que de les mener fur la
côte prochaine , où elles ne couroient point de rifque d'être fait
prifonnieres par les Romains, qui
les attendoient dans le Fleuve
Jaïch , & qu'il avoit des Navires prêts pour les conduire jufques au Fleuve Jaxartes , où elles feroient loin de leurs ennemis , & au cœur de leurs Etats.

Encore que la Reine vit bien
fon intention , elle feignit de
croire ce qu'il lui difoit , pour le
contenir dans fon devoir ; elle
obligea même la Princeffe d'en
ufer de la forte ; ainfi elles fe
laifferent conduire jufques à un
petit port caché par une fuite de
Rochers qui s'avancent dans la
mer , & où Varandanes avoit
fait venir trois grands Navires
bien équipez. Ce Prince n'ofa
pas les forcer à y entrer , jugeant
bien qu'il les y contraindroit

quand il n'auroit plus d'esperance de fléchir la Princesse, ou
d'achever de résoudre Arsamis.

Cependant Arbaces grand
& prudent Capitaine Persan, à
qui il avoit laissé le soin de son
armée, n'eût pas plûtôt sçû que
son Maître avoit enlevé la Princesse, qu'il envoya au Roi des
Scythes un nommé Canades qui
passoit pour très-habile en ne-
gociations. Celui-ci prévint ce
Prince, par lui dire que le Roi
son Maître ayant appris qu'il envoyoit la Reine & la Princesse
des Scythes au Fort de Jaïch, jugeoit que s'il arrivoit aux Scythes le malheur d'être vaincus,
elles ne seroient point en sûreté,
puisqu'il n'y avoit ni Fort, ni
Villes jusques-là qui pussent arrêter la fureur des Romains, &
qu'il croyoit qu'il y auroit eu
moins de danger qu'on les eût

menées sur le bord de la Mer,
où l'on auroit fait tenir des Navires pour les garantir de tomber en la puissance de Constantin, si le Ciel ne secondoit la
justice des armes des Scythes.
Il ajoûta que Varandanes lui
demandoit pardon, si l'attache-
ment qu'il avoit à ses interêts,
lui faisoit prendre la liberté de
lui envoyer dire l'inconvenient
qui se pouvoit rencontrer dans la
retraite des Princesses.

Arsamis qui ne voyoit pas
où ce discours pouvoit aboutir,
avoüa qu'il auroit suivi ce conseil s'il l'eût plûtôt reçû, & s'il
eût eu des Navires prêts pour
l'exécuter. Canades se retira
après cette réponse, & le lendemain il vint retrouver Arsamis,
& lui presenta la Lettre que Varandanes avoit laissée à Arbaces
pour ce dessein. Arsamis y trou-

N ij

va que le Roi de Perse ayant
joint la Reine, & lui ayant fait
comprendre le danger qu'elle
couroit dans le Fort où l'on la
conduisoit, elle étoit resoluë
d'aller sur la côte en un lieu où
il avoit fait venir trois Vaisseaux
de guerre ; il l'assuroit qu'il y
garderoit ces Princesses jusques à
ce qu'il eût reçû ses ordres pour
les conduire en tout autre lieu
de la Scythie qu'il désireroit, excepté dans le Fort de Jaïch,
comme trop exposé à la violence des Romains, qui pouvoient
y aller alors même par Mer, &
toutes les fois qu'ils en auroient
le désir.

Arsamis qui comprit aisément
l'artifice du Roi de Perse, fût
irrité de son procedé ; mais comme il étoit grand politique, il
jugea qu'il ne devoit pas s'emporter en une occasion où tout

lui étoit inutile, & qu'il falloit ménager l'esprit d'un Prince à qui l'amour faisoit faire tant d'injustices, & qui avoit la plûpart des grands de sa Cour pour lui : Néanmoins il ne laissa pas de se plaindre qu'il eut osé changer les ordres qu'il avoit donnés, & se saisir de la Reine sa femme & de la Princesse sa Fille. Canades lui dit alors tout ce qu'il crut capable de l'appaiser, & ne voulut pas s'en retourner vers Arbaces qu'il n'eût trouvé moyen de le faire consentir au mariage de son Maître avec Hypante, ou du moins qu'il n'en eût reçû le dernier refus. Varandanes n'attendoit plus que cette nouvelle pour emmener la Princesse en Medie, où il prétendoit l'épouser par force.

Canades confera avec Othmar, & avec les principaux amis du

Roi de Perse, & les obligea de
se trouver auprès de celui des
Scythes, lorsque cet adroit Persan lui dit que son Maître con-
sentoit qu'il fit la paix avec l'Empereur sans parler de lui, pourvû qu'il lui accordât Hypante.
Arsamis répondit que cette alliance l'obligeroit davantage
d'embrasser les interêts de Varandanes : Canades l'assura que
ce Prince croiroit son bonheur
trop grand quand la possession
de la Princesse ne lui coûteroit
que la continuation de la guerre
avec les Romains, puisqu'il
n'estimoit rien, & sa vie même,
au prix de ce grand avantage ;
il lui dit ensuite, pour le mieux
persuader, que la Reine de Perse obtiendroit tout ce qu'elle
désireroit de l'Empereur son Frere, lorsqu'elle se voudroit employer pour les accommoder.

Le Roi des Scythes lui fit connoître que la principale raifon
qu'il avoit de ne fatisfaire pas
Varandanes , étoit le peu d'inclination que la Princeffe fa
fille avoit pour ce Prince. Alors
Othmar prit la parole , & lui dit,
qu'il efperoit qu'Hypante ne
contrediroit plus à fes ordres ,
lorfqu'il lui feroit fçavoir qu'il
défiroit cette alliance , & que
c'étoit le bien de leurs peuples.

Arfamis vit bien que les principaux Sujets étoient oppofez à
fes fentimens, & que Varandanes fe porteroit à toutes les violences dont fa paffion le rendoit
capable ; mais la tendreffe qu'il
avoit pour Hypante , l'empêcha
de fe réfoudre à la contraindre,
& comme il connoiffoit que fa
vertu étoit fi grande , que s'il lui
témoignoit de nouveau qu'il vouloit ce mariage , elle fe rendroit

N iiij

malheureufe avant que de lui défobéir, il ne fut jamais poffible à Othmar, à Canades & aux autres de le faire réfoudre à envoyer à cette Princeffe ni à la Reine pour l'y difpofer.

Canades n'ayant pû rien avancer s'en retourna vers Arbaces mal fatisfait de fon voyage, & Arbaces l'envoya au Roi de Perfe, qui demeura long-temps incertain entre fon amour, & fon devoir, lorfqu'il eut appris qu'il ne devoit rien efperer d'Arfamis : néanmoins fa paffion fût enfin plus forte fur fon efprit, & il réfolut d'achever ce qu'il avoit commencé. Dans ce deffein il renvoya celui qui étoit venu le prier de la part d'Arfamis de laiffer aller la Reine & la Princeffe au Fort de Jaïch où il défiroit qu'elles fuffent jufques à ce qu'il en eut ordonné autrement ; il

affura à cet homme qu'il pouvoit
dire au Roi des Scythes qu'il ne
trouveroit rien en toute fa conduite qui pût lui déplaire ; puis
il écrivit à Arbaces qu'il tâchât
d'appaifer l'Empereur , qu'il lui
promît toutes les fatisfactions
qu'il exigeroit de lui , & qu'il
jugeroit néceffaires pour obtenir
la paix , l'interêt de fon amour
le faifant réfoudre alors à des
chofes à quoi le bien de fon état
n'avoit pû le porter ; il écrivoit
auffi à Arbaces que s'il ne pouvoit rien avancer envers Conftantin , qu'il l'en avertit au plûtôt dans la Medie où il alloit
mener la Princeffe , & d'où il re-
viendroit avec une nouvelle armée pour joindre à celle dont il
lui laiffoit le commandement. Il
lui ordonnoit de faire rendre au
plûtôt la Lettre qu'il écrivoit à
Arfamis , où il fe fervoit de tou-

tes, les meilleures raifons que fa
paffion lui fuggera pour excufer
l'enlevement de la Princeffe des
Scythes.

Après avoir pourvû à tout ce
qu'il jugea néceffaire, il s'en alla
trouver la Reine, & Hypante
en tremblant, par la confidéra-
tion de la grande injuftice qu'il
leur alloit faire ; il les affura
qu'il venoit d'apprendre que les
Romains s'étoient avancés, &
avoient mis pied à terre affez
près de là pour les venir enlever ; qu'encore qu'il fut beaucoup plus foible en nombre
qu'eux, il n'auroit point de
crainte de les combattre fi elles
n'étoient plus en fureté dans fes
navires qui feroient bien loin
avant que leurs ennemis euffent
appris leur départ.

Ce Prince leur fit connoître
par la fuite de fes difcours, que

si elles ne faisoient ce qu'il dési-
roit, il étoit résolu de les y contraindre. Alors la Reine ne pût
retenir une partie de sa colere,
& la Princesse, pour exprimer
la sienne, ne lui dit que ces mots:
Sçachez, injuste Prince, qu'il ne
falloit pas cette lâche violence
pour me faire plûtôt choisir la
mort, qu'accepter d'être à vous.
Allons, Madame, continua-t-elle
en se tournant vers la Reine,
avec une résolution digne de son
grand courage, allons où nous
veut mener ce Prince violent qui
sçait si mal l'art de se faire aimer;
le chemin de la mort sera ouvert pour Hypante aussi - bien
dans la Perse qu'il l'étoit en
Scythie; & je n'y trouverai point
Crispe pour m'empêcher de mourir comme il fit dans Astracan.

Ces paroles acheverent d'ac-
cabler de douleur Varandanes:

il avoit tremblé de crainte à
l'action de la Princesse, & il fré-
mit de rage à ce discours; le nom
de Crispe lui étoit insupportable
dans la bouche d'Hypante, aussi
fut-il long-temps sans sçavoir ce
qu'il devoit faire, & si la Reine
& la Princesse n'eussent suivi ses
gens qui avoient déja reçû l'ordre de les mener à ses Vaisseaux,
il n'auroit peut-être pas eu la hardiesse de les y obliger; mais la
joye de les voir prêtes à s'embarquer le fit revenir de son étonnement. Il les accompagna sans
oser leur parler jusques à ce qu'elles furent dans le principal des
trois Navires; & après les avoir
remises dans la chambre qu'il
leur avoit cedée, il en sortit pour
les laisser r'assurer, il fit lever
l'Ancre, mettre les voiles au vent,
& prendre la route de la Medie.

Il étoit bien aise d'emmener

la Reine , efperant qu'elle lui feroit plus favorable que contraire par la confideration du bien de leurs Etats , qui trouvoient apparemment plus d'avantage d'être en paix avec les Perfes leurs voifins, qu'avec les Romains, qui ne les pouvoient pas incommoder fi frequemment. Il croyoit auffi qu'Hypante trouveroit moins de rigueur , & plus d'honnêteté dans fon enlevement , d'être avec fa Mere que fi elle eût été feule.

Il fe flattoit de ces penfées, fans qu'il ofât encore fe prefenter à ces Princeffes irritées & affligées tout enfemble ; & fes Navires s'éloignoient en grande diligence de la côte de Scythie lorfque fur le foir celui qui étoit à la Hune cria qu'il découvroit d'autres Navires qui venoient à eux à toutes voiles ; &

comme il affura un peu après
qu'il n'y en avoit que trois , &
qu'ils n'avoient point de Pavillon , le Roi & les Pilotes crurent que c'étoient des Corfaires
dont ils ne feroient point attaquez , étant la coutume de ces
fortes de gens , de ne combattre
que lorfqu'ils fe fentent les plus
forts : néanmoins ils éprouve-
rent le contraire. Ces trois Navires fe jetterent impetueufe-
ment fur ceux de Varandanes:
leur hardieffe irrita ce Prince ,
qui défirant les punir du retar-
dement qu'i's lui alloient caufer , fit agraffer celui qui venoit
à lui dans le même deffein.

Comme vous ni moi n'avons
point de temps à perdre , je ne
m'arrêterai point à vous décrire
le détail d'un combat le plus furieux qui ait peut-être jamais été
donné fur Mer par fi peu de Na-

vires. Ces ennemis inconnus s'ef-
forcerent d'abord de passer dans
les Vaisseaux des Persans qui s'y
opposerent avec une vigueur &
un courage inconcevables. Le
sang inonda bien-tôt les ponts
des uns & des autres : les morts
& les mourants étoient précipi-
tez dans les ondes par des efforts
& par des coups effroyables. Si
Varandanes & les siens faisoient
des actions dignes de leurs valeur , les trois Chefs des Navires ennemis n'en faisoient pas
moins , surtout le Commandant
du vaisseau qui avoit acroché
celui du Roi de Perse. Sa taille
étoit avantageuse , ses armes
étoient superbes , & il paroissoit
tant de feu dans ses regards à
travers son Casque , que tout
autre que ce Prince en auroit
été épouvanté. Ils se donnoient
de si terribles coups que quel-

quefois ils chancelloient tous
deux, & étoient prêts à tomber
tout étourdis. Enfin la nuit arriva fans qu'ils euffent eu l'a-
vantage l'un fur l'autre ; mais
pour achever un Combat fi fan-
glant & fi opiniâtré, on alluma
des deux côtez des flambeaux,
des cordes poiffées, & des éclats
de bois qui éclairent en brûlant,
& à la faveur de ce nouveau jour,
ils continuerent à fe battre d'une
maniere plus horrible, & plus
dangereufe.

Varandanes jugeant qu'il ne
pouvoit vaincre celui qu'il avoit
en tête, & craignant que fon
Navire ne fut forcé, tandis qu'il
s'amuferoit à difputer la victoire
contre un feul, lui oppofa plufieurs Perfans pour occuper fa
valeur, & courut aider les fiens,
dont les cris faifoient connoître
qu'ils ne pouvoient prefque plus
réfifter.

réfifter. Sa conduite fembloit judicieufe, mais elle ne laiffa pas de lui être funeſte.

Ce redoutable Inconnu n'ayant plus un auffi vaillant homme qui l'arrêtât, fe jetta fur ceux qu'il lui avoit oppofez, & en peu de momens il les traita fi mal, qu'ils ne lui firent plus qu'une foible réfiftance. Alors il fauta dans le Navire de Varandanes fuivi d'une grande partie de fes gens, & il trouva les plus vaillans auprès du grand maft, qui s'oppoferent à fon paffage, & qui lui donnerent encore de la peine; mais après avoir abattu à fes pieds les plus hardis, les autres fe rendirent à fa difcretion, & reçûrent la vie que leur valeur méritoit d'obtenir.

Durant le combat, la Reine & la Princeffe des Scythes étoient dans des fentimens oppofés, la

O

Reine (à qui on avoit dit que
ceux qui les avoient attaquez
étoient Corfaires , & qu'ils
avoient déja de l'avantage fur les
Perfans) faifoit des vœux pour
les derniers ; & Hypante qui aimoit beaucoup mieux tomber en
la puiffance des hommes les plus
barbares, que de refter en celle
du Roi de Perfe , prioit le Ciel
que les Corfaires fuffent vain-
queurs.

La Reine condamnoit fes fentimens , lui difant qu'il leur feroit plus avantageux d'être avec
un grand Prince qui avoit de
l'amour pour elle , & qui étoit
genereux & plein de vertu , que
d'être entre les mains de gens
fans aveu , & qui n'avoient que
leur paffion pour regle de leur
conduite. Je crois avec raifon,
Madame , repliqua Hypante ,
que le Ciel nous feroit beaucoup

de grace de changer notre captivité ; lorſque les Corſaires
ſçauront qui nous ſommes, ils
nous rendront ſans doute plûtôt
la liberté, ou pour avoir notre
rançon, ou par la crainte d'être
châtiez s'ils nous retenoient long-
temps priſonnieres, & le Roi de
Perſe eſt très-éloigné de le faire
par aucun de ces motifs.

Leur converſation fut inter-
rompuë par une grande clarté
que cauſoient pluſieurs flambeaux qui s'arrêterent à la porte
de leur Chambre. Un moment
après elles virent entrer le vainqueur du Navire du Roi de
Perſe.

Après qu'il les eut ſaluées avec
tout le reſpect qui leur étoit dû,
ſouffrez grande Reine, dit-il,
d'une maniere ſoumiſe & obli-
geante, qu'un heureux Corſaire
oſe paroître ſans permiſſion, de-

vant votre Majefté encore tout
foüillé du fang de ceux qui vous
emmenoient. Mais, Madame,
dit-il gallamment en fe tournant
vers la Princeffe, j'efpere d'ufer
fi bien de ma victoire, que vous
me pardonnerez, & que vous ne
voudrez point me punir d'avoir
donné la mort à la plûpart de
vos raviffeurs.

Durant ce petit difcours la
Reine & la Princeffe eurent le
temps de revenir de leur furprife, & après avoir crû reconnoître la voix de celui qui leur parloit, elles jetterent les yeux fur
fon vifage qu'il avoit découvert,
ayant hauffé la vifiere de fon cafque. Alors elles furent faifies
d'un étonnement beaucoup plus
grand que le premier? ô Ciel!
qu'eft-ce que je vois? s'écria la
Reine en fe laiffant aller fur une
chaife, fans pouvoir rien dire

davantage, attachant feulement
les yeux fur ce vaillant guerrier.
Hypante qui fit plus d'efforts
pour fe r'affurer prit la parole,
& dit d'une voix mal affurée : Il
y a de la fatalité, Seigneur, que je
fois votre prifonniere. Elle vouloit continuer ; mais la Reine
qui d'abord s'étoit remife de fon
trouble qu'un feul excès de joye
avoit caufé : Oüi, ma fille, inter-
rompit-elle, il y a une douce
fatalité que vous deviez la vie &
la liberté plus d'une fois à l'illuftre & genereux Prince des Romains. Ah ! Seigneur, continua-
t-elle en s'adreffant à Crifpe (car
c'étoit lui-même) après tant de
bienfaits, nous ne pouvons
jamais paffer que pour ingrates,
quoique toute la Scythie, le Roi,
& nous puiffions faire pour les
reconnoître. Le Prince ne répondit à un difcours fi agréable

qu'en témoignant à ces grandes
Princesses qu'il trouvoit tant de
satisfaction, & tant de gloire à
ne leur être pas inutile, qu'il
croyoit que mille vies étoient
peu dignes de payer cet avantage.

Ils étoient dans un aussi doux
entretien lorsque le Prince Licinien & moi entrâmes dans la
chambre. Après que nous eûmes
salué ces deux grandes Princesses, Licinien apprit à Crispe que
chacun de nous s'étoit emparé
du Navire qu'il avoit attaqué,
ce qui fut un nouveau sujet de
joye pour ces trois admirables
personnes. Ensuite de quelques
autres discours, Crispe les voulut laisser reposer le reste de la
nuit ; mais auparavant il fallut
qu'il leur dit, qu'ayant sçû l'action
criminelle de Varandanes, il
avoit pris les trois Navires qu'il

avoit trouvez les mieux équipez dans le port de Chimis, sçachant que ce Prince n'en avoit pas davantage : que Licinien n'avoit jamais voulu l'abandonner ; qu'il avoit défendu qu'on arborât le pavillon Romain, pour n'être pas si-tôt reconnu des Perses, & qu'heureusement nous étions arrivez assez à temps pour empêcher l'effet de l'attentat de Varandanes.

Cependant comme il avoit commandé, en descendant à la chambre des Princesses, qu'on cherchât le Roi de Perse, pour le faire panser, s'il n'étoit que blessé, ne l'ayant plus vû depuis qu'ils s'étoient séparez dans le combat ; on lui avoit obéï inutilement, & on lui vint dire qu'on n'avoit pû le trouver ni apprendre de ses nouvelles. Il crut alors qu'il avoit péri dans la

Mer, où il étoit tombé bleſſé,
ou qu'il s'y étoit jetté de déſeſpoir. Une penſée auſſi vrai-ſem-
blable l'affligea ſenſiblement;
les raiſons qu'il avoit de ne le
plaindre pas, ne pûrent empêcher
ſa généroſité de faire ſon effet.
Sa vertu alla ſi avant qu'il fut
bien aiſe que la Reine, & que
la Princeſſe même donnaſſent
des marques de leur déplaiſir
pour la mort d'un ſi grand, & ſi
malheureux Prince à qui l'amour
ſeule d'Hypante avoit fait faire
toutes les actions qu'on pouvoit
condamner en ſa vie. O ! infortuné Varandanes, dit-il un peu
après, par un effet d'une généroſité incomparable ? pourquoi
m'as-tu ravi la gloire de te donner la vie & la liberté même,
puiſque je l'aurois fait avec joye.

Enſuite il quitta les Princeſſes
pour leur laiſſer prendre du repos.

pos le reſte de la nuit. Et après
qu'il eut donné les ordres né-
ceſſaires, il ſe mit au lit où ayant
repaſſé agréablement dans ſon
eſprit ce qu'Hypante lui avoit
dit à ſon avantage, & les marques qu'elle lui avoit données
de ſa reconnoiſſance, il ſe reſſou-
vint avec chagrin & avec une eſ-
pece de jalouſie, qu'elle eut eu du
déplaiſir du malheur du Roi de
Perſe. La compaſſion de cette
Princeſſe lui ſembloit trop forte
en une pareille conjonƈture : il y
eut même des momens qu'il ſoup-
çonna qu'elle avoit aimé ce Prince avant qu'il ſe fut porté à tant
d'excès , & que lorſqu'elle ſe
voyoit plus vangée que ſon reſ-
ſentiment n'avoit demandé, ſon
cœur revenoit à ſes premiers mouvemens.

Il fut ſi ingenieux à ſe tour-
menter qu'il craignit auſſi qu'elle

ne le haït comme la cauſe de la
mort de Varandanes. Des ſoup-
çons ſi mal fondez ne laiſſerent
pas de lui cauſer de grandes inquiétudes, néanmoins ſa raiſon
les chaſſa peu à peu de ſon eſprit;
& par un caprice dont les ſeuls
Amans ſont capables, il paſſa
enfin d'une extrêmité à l'autre,
par la penſée qu'il devoit beaucoup plus eſperer de la reconnoiſſance d'Hypante qu'il n'a-
voit encore fait, puiſqu'elle étoit
affligée du malheur d'un Prince
dont elle avoit ſujet de ſe plaindre; mais ſa vertu fut ſi grande
qu'il ne pût jamais ſe réjoüir de
la mort de ſon rival, encore qu'il
prévit que le principal obſtacle à
ſon bonheur étoit ôté.

Hypante n'eût guére moins
d'inquiétude que lui; au commencement elle conſidera avec
tant de ſatisfaction tout ce que

ce Prince avoit fait pour elle,
que son cœur ne pût qu'en être
touché ; mais comme elle ressen-
tit que Crispe lui devenoit cha-
que jour , & plus agréable, &
plus cher , elle fit ces réfléxions.
Helas ! à quelle passion m'aban-
donnai-je avec tant de facilité ?
où est cette indifference que j'ai
euë pour tant d'autres Princes,
surtout pour Romulus, & pour
Vizomar , dont je connois le
mérite , à qui nous avons de si
grandes obligations, & qui m'aiment si constamment sans aucune esperance ? Il est vrai que
je dois davantage à Crispe , &
qu'il me paroît plus capable de
plaire ; mais je ne suis pas destinée pour lui , & je ne puis que
me rendre malheureuse , si je
n'étouffe les sentimens qui com-
mencent à s'établir dans mon
ame en sa faveur. Elle demeura

quelque temps fans rien dire,
puis elle reprit, Quand même il
me feroit permis de l'aimer, fuis-
je bien affurée qu'il m'aime ?
qu'a-t-il fait pour me le perfuader ? s'il s'eft précipité dans les
flâmes , ç'a été lorfqu'il ne me
connoiffoit point, & que l'amour
ne pouvoit l'y obliger ; s'il m'a
remife en liberté après m'avoir
connuë, il témoigna qu'il m'aimoit peu en m'éloignant de lui
apparemment pour toujours. Sa
générofité donc toute feule, pourfuivit-elle en foupirant , lui a
fait faire ces grandes actions : il
eft fi amoureux de la gloire, qu'il
a fouhaité même que fon rival
le plus redoutable fut en état de
recevoir la liberté & la vie de fa
main : n'eft-ce pas la même chofe que s'il eût fouhaité que Varandanes m'obtint d'Arfamis ?
Ah ! Princeffe trop foible (re-

prit-elle, à cette confideration)
rejette des fentimens qui veulent
furprendre ton cœur, & ne t'ar-
rête pas aux pourfuites d'un Prince que la gloire feule fait agir.
Hypante demeura quelque tems
dans des penfées qui faifoient
tant de tort à Crifpe ; mais exa-
minant avec plus d'équité toute
la conduite de ce Prince ; Non,
non, dit-elle, enfin ; je fais une
injuftice trop grande au genereux Crifpe, & je reconnois que
fa paffion eft veritable, qu'il ne
m'a donné la liberté que par un
excès d'amour qui lui a fait préferer ma fatisfaction à la fienne,
& aux avantages de l'Empire ;
qu'il n'eft ennemi du Roi de
Perfe qu'à caufe de moi, & qu'il
mérite feul mon eftime & ma reconnoiffance.

Cette Princeffe paffa toute la
nuit dans des réfléxions fembla-

bles , & elle s'arrêta si bien à
cette derniere pensée, que lorsque la Reine lui témoigna qu'elle craignoit que Crispe voulut
les mener dans notre Camp,
elle condamna sa crainte, & lui
dit qu'elle connoissoit trop la
générosité du Prince, pour douter qu'il en usât encore envers
elle comme il avoit toujours fait.
Elle ne se trompa point, le lendemain aussi-tôt qu'il fut permis à Crispe d'entrer dans leur
chambre , il leur dit qu'il avoit
oublié de leur demander le soir
d'auparavant où elles vouloient
qu'il les menât, & qu'il les sup-
plioit de donner l'ordre qu'elles
jugeroient nécessaire; qu'elles devoient être assurées que les Ro-
mais leur obéïroient plus promp-
tement & plus ponctuellement
que n'auroient sçû faire les Scythes.

Vous comprenez trop quelle
nouvelle admiration fut celle de
ces grandes Princeſſes pour un
procedé ſi noble & ſi genereux,
elles lui firent des remercimens
proportionnez à ce qu'elles lui
devoient , & le prierent de les
faire conduire au Fort du fleuve
Jaïch , où Arſamis avoit déſiré
qu'elles allaſſent , & où elles
croyoient être en ſûreté , quand
même Varandanes auroit encore
été en vie. Elles ne vouloient pas
qu'il ſe donnât la peine de les accompagner lui - même , néanmoins elles ne purent jamais l'en
empêcher.

Pendant le peu de temps que
nous mîmes à nous rendre au Fort
de Jaïch , Criſpe eut le moyen
de donner connoiſſance à la Reine des Scythes des ſentimens
qu'il avoit pour Hypante. La
Reine qui eſtimoit infiniment ce

P iiij

Prince dès la premiere fois qu'elle l'eut vû, & qui se sentoit sensiblement obligée depuis ce qu'il avoit fait pour Hypante, lui promit de seconder ses desseins de tout son crédit.

La mort de Varandanes lui faisoit juger que le Roi des Scythes & son Conseil accepteroient son alliance avec joye, & qu'Arsamis étant descendu des Arsacides , & étant le legitime heritier de la Couronne de Perse, aussi - bien que de celle des Parthes , qu'Artaxerces avoit usurpée , les Romains pourroient lui être d'un grand secours pour recouvrer ces Royaumes sur ceux qui croiroient succeder à Varandanes. Le Prince rendit graces à la Reine en des termes les plus soumis & les plus reconnoissans dont il se pût servir , & après qu'il les eût remises dans le Fort de Jaïch, il employa le peu de temps qu'il lui reſtoit pour être avec elles, à donner de nouvelles marques de ſa paſſion à la Princeſſe. Enfin il la quitta avec une douleur ſenſible, mais qui fûr moderée par les eſperances dont il commençoit à ſe flatter avec quelque raiſon.

Le Prince étant dans cette diſpoſition, nous levâmes l'ancre de devant le Fort de Jaïch, & nous deſcendîmes dans la mer par ce fleuve, nous avions déja paſſé la moitié du jour quand on découvrit une flote de quinze ou ſeize Navires qui s'avançoit vers nous ; encore que nous fuſſions beaucoup moins en nombre, le Prince ne s'étonna point, & ſans faire changer de route, il ſe prépara à les recevoir en quelque qualité qu'ils pûſſent venir. Mais lorſque nous fûmes

plus proches , on reconnut à l'aigle qui paroiſſoit ſur les Mats,
que c'étoient des nôtres. L'A-
miral de cette flote abaiſſa le pavillon par trois fois devant le
Navire de Criſpe pour témoigner ſa ſoumiſſion , & s'en étant
approché , Delmatius parut ſur
le Pont avec les principaux de
ceux qui l'avoient ſuivi. Criſpe
le reçût dans ſon bord avec tous
les témoignages d'amitié & d'eſ-
time qui étoient dûës à ce Prince par ſon mérite & par ſa naiſ-
ſance.

Après que Delmatius ſe fut
plaint obligemment de ce qu'il
lui avoit préféré Licinien &
moi pour le ſervir dans une
action ſi périlleuſe & ſi éclatante
que celle qu'il venoit de faire,
il lui dit qu'auſſi-tôt que l'Empereur eût ſçû par l'homme qu'il
lui avoit envoyé qu'il étoit allé

après Varandanes, il l'en avoit
loüé, & avoit commandé qu'on
allât après lui avec autant de Navires qu'on pourroit avoir en diligence. Delmatius ajouta qu'il
avoit obtenu de l'Empereur de
lui mener ce secours préferable-
ment à tant d'autres qui deman-
doient la même grace ; mais qu'il
se croyoit malheureux de lui
avoir été inutile. Crispe embraffa
de nouveau Delmatius, le re-
mercia, & lui apprit tout ce qui
s'étoit passé dans cette heureuse
entreprise ; Delmatius admira
l'héroïque procedé du Prince, &
plaignit l'infortune de Varandanes.

Le même jour nous mîmes
pied à terre à l'embouchure du
fleuve Rha, & Crispe qui ne
vouloit pas que personne autre
que lui donnât les nouvelles de
son retour à l'Empereur (pour

les raifons que vous compren-
drez bien-tôt) s'avança promp-
tement le premier. Lorfqu'il arriva au quartier de ce Monarque , il apprit qu'il étoit feul dans
fon cabinet ; il s'y en alla , & il
en fut d'abord reçû auffi-bien
qu'il pouvoit fouhaiter. Votre
courage , & votre générofité mon
fils , lui dit - il en l'embraffant ,
vous expofent fi fouvent à de
grands périls , que j'ai cru devoir
me plaindre de ce que vous êtes
allé fi mal accompagné à ce dernier : auffi vous ai-je envoyé le
Prince Delmatius , & tous les
Navires que j'ai pû faire équiper
à la hâte. En avez-vous eu befoin , mon fils , continua-t-il , &
comment êtes-vous forti de cette entreprife ? Le Prince le re-
mercia de tant de foins , & ajouta ; La flote que vous avez eu la
bonté de m'envoyer , Seigneur ;

est de retour avec les trois Navires que j'avois menez , & qui
m'ont suffi pour me rendre maître des trois autres qu'avoit Varandanes le ravisseur de la Princesse des Scythes. Je sçai , reprit
l'Empereur , que vous vainquez
par tout ; mais ne vous étonnez
pas mon fils , si l'amour que j'ai
pour vous me fait craindre si souvent que vous soyez enfin vaincu par la mauvaise fortune , ne
le pouvant être par vos ennemis.

Constantin étant alors persua-
dé qu'il avoit fait prisonnier Varandanes, & qu'il l'amenoit avec
la Reine & la Princesse des Scythes , lui demanda où il les avoit
laissez. Pour le Roi de Perse ,
répondit le Prince , il est sans
doute mort , puisqu'on ne l'a sçû
trouver après le combat. Constantin fut affligé de ce malheur ,

particulierement dans la penfée de la douleur extrême qu'en
reſſentoit la Reine de Perſe ſa
ſœur, mere de ce Prince ; mais
le ſujet qu'il croyoit avoir de ſe
plaindre de lui, & le déſir qu'il
avoit de revoir Hypante en ſa
puiſſance pour l'interêt de ſon
amour, lui firent bien-tôt changer de diſcours, & demander
encore une fois où étoit cette
Princeſſe. Seigneur, reprit Criſpe, après l'avoir délivrée des
mains de ſon raviſſeur, je l'ai
conduite avec la Reine ſa mere
dans le Fort de Jaïch. Quoi!
interrompit l'Empereur en colere, avez-vous eu encore l'im-
prudence de perdre par une généroſité ſi condamnable des
avantages que nous ne devons
plus eſperer pour le bien de l'E-
tat ? Il ne lui repreſenta que cette raiſon, & ne voulut pas lui

dire qu'il entreprenoit fur fon autorité , de peur de declarer les foupçons qu'il avoit déja de lui. Crifpe qui s'étoit préparé à ce traitement , & qui comprenoit ce qui faifoit plus de peine à Conftantin , fe jetta à fes pieds , & lui dit , Puifque j'ai été affez malheureux, Seigneur, pour vous avoir déplû en cette action , que votre Majefté me puniffe feve-rement , fi je ne la juftifie par les raifons qui me l'ont fait faire. C'eft prefentement , Seigneur, continua-t-il , qu'il faut que je vous declare que mon cœur (que vous avez vû autrefois fi peu ca-pable d'amour) en eft tout rem-pli pour Hypante. Jugez donc , Seigneur, fi je devois laiffer long-temps cette Princeffe que j'adore dans la crainte d'être menée en triomphe, & l'expofer de nou-veau à choifir la mort qu'elle fe seroit donnée sans doute pour éviter une infamie dont votre Majesté l'auroit assurément garantie par un effet de sa générosité , mais qu'elle croyoit inévitable , quoique je lui pusse dire. Jugez encore , Seigneur , si ayant cette connoissance , je ne devois pas lui donner la liberté , & à la Reine sa mere , pour me les rendre favorables dans le dessein que j'ai , & que je vous conjure d'approuver. Il est facile de voir que le Roi des Scythes qui doit sçavoir déja la mort de Varandanes ne refusera pas l'alliance de l'Empereur des Romains , puisqu'elle ne peut que lui être très-avantageuse. C'est donc de votre bonté , Seigneur , poursuivit Crispe , que j'attens l'approbation de ce que j'ai fait sans votre ordre , & de la passion que j'ai eûë sans vous le faire sçavoir.

Ne

Ne me refusez pas, Seigneur ,
votre consentement qui est si nécessaire à ma vie ; c'est la priere
que vous fait un Fils qui choisi-
ra plûtôt la mort que de vous déplaire. Constantin qui voyoit une
occasion si favorable pour venir
à bout de l'esprit de Fauste , de
finir là guerre, & d'ajoûter l'Empire des Scythes , & peut-être
même celui de Perse, à celui des
Romains ; Je veux oublier les
fautes que vous avez faites, mon
Fils, dit-il, en le relevant & en
l'embrassant , & pour vous obliger de n'en plus commettre qui
puisse me donner sujet de me
plaindre , je promets de faire proposer au Roi des Scythes votre
mariage avec la Princesse sa Fille. Ce fut alors que Crispe crût
être bien-tôt au comble de son
bonheur , & qu'il ne craignit
plus que rien lui pût être con-

Q

traire dans son dessein ; il se flattoit de n'être pas haï de la Princesse, il étoit assuré que la Reine
des Scythes lui seroit favorable,
il jugeoit avec apparence de raison qu'Arsamis, & les principaux
des Scythes, voyant Varandanes
mort trouveroient avantageux
pour eux qu'il épousât Hypante ;
& enfin, il connoissoit que Constantin se porteroit avec chaleur
à lui faire obtenir ce bien, puisque l'interêt de son amour & de
son Etat l'y obligeoit.

Il fut dans l'impatience de faire sçavoir cette bonne nouvelle
à ceux qu'il aimoit le plus, comme les Princes Licinien, Delmatius, Nepotien, & autres.
Il me fit l'honneur de m'en parler des premiers ; je vous avoüe
que je crus aussi-bien que lui que
rien ne pouvoit plus s'opposer à
ses desirs, surtout quand le len-

demain l'Empereur fit preffentir
le Roi des Scythes par ceux qui
traitoient la Paix , s'il auroit
agréable la demande qu'il vouloit lui faire de fa fille pour
Crifpe , & que ce Roi eut fait
connoître qu'il en auroit de la
joye, depuis que la mort du Roi
de Perfe le dégageoit de la parole qu'il lui avoit donnée. Alors
Ablavius fut choifi par l'Empereur , & moi par le Prince , pour
aller faire cette propofition à
Arfamis. Encore qu'Ablavius eût
employé fecretement tous fes ar-
tifices pour changer la réfolution
de Conftantin , nous fûmes bien-
tôt prêts ; mais lorfque le matin
d'après j'allai à la tante du Prince pour le voir avant que de partir , & pour fçavoir s'il n'avoit
plus rien à m'ordonner, je ne l'y
trouvai point ; & on me dit qu'il
ne faifoit que de fortir du Camp

avec un Cavalier inconnu qui
lui avoit parlé en fecret ; on
ajouta qu'il n'avoit voulu être
fuivi que d'un Ecuyer feulement.
Ces particularitez me firent croire qu'il s'étoit allé battre contre le Cavalier du jour du tournois. Je crûs être obligé d'aller
après lui pour mieux m'éclaircir
de cette avanture : Je me fis mon-
trer l'endroit par où il avoit paffé,
& je me fis fuivre par ceux qui
fe trouverent alors avec moi,
Nous fûmes conduit heureufe-
ment au lieu où ce Prince fe battoit contre un Cavalier qui paroiffoit tout autre que celui que
nous avions foupçonné : mais
voyant que leur combat étoit
égal, de pur de lui déplaire, je
n'ofai les féparer, ni moins leurs
Ecuyers qui n'avoient pû fouffrir leurs Maîtres aux mains fans
fe battre auffi. Un moment après

je vis paroître un gros de Cavaliers Perfans qui venoient à toute bride.

Alors je n'examinai point s'ils
avoient un mauvais deffein, ou
s'ils ne venoient que pour arrêter la fureur de ces deux Heros.
Je m'avançai contr'eux avec ma
fuite, & nous commençâmes à
nous battre affez rudement fans
nous arrêter aux cris de Crifpe
& de fon ennemi qui n'avoient
d'autre defir que d'achever leur
combat. Aucun de nous n'avoit
encore nul avantage, lorfqu'il
parut du côté de notre Camp &
de celui des Perfes, divers Efca-
drons de Cavalerie qui fe joigni-
rent à ceux de leur parti, & peu
à peu l'un & l'autre groffit tellement que ce qui fe paffa alors fut
une efpece de bataille. Les deux
vaillans ennemis furent enfin fé-
parez malgré eux, & ne pûrent

plus se rejoindre. Ce combat
n'auroit pas si - tôt fini, si nous
n'eussions été forcez à la retraite, par un orage si furieux, qu'il
nous fallut abandonner les Persans, que la valeur de Crispe &
de plusieurs vaillans hommes
dont il étoit secondé commençoit à mettre en fuite.

Le Prince s'en retourna au
Camp affligé de n'avoir pû achever son combat avec l'Inconnu;
il nous apprit qu'il en avoit été
défié par un Ecuyer, & qu'il ne
s'étoit point voulu faire connoître lorsqu'il l'étoit allé trouver,
l'ayant assuré seulement que leurs
conditions étoient égales. Chacun de nous raisonnoit sur cette
avanture, & après bien des jugemens differens, on convint
qu'il falloit que ce fut celui qui
avoit disputé le prix que le Prince
reçût de la main d'Hypante; ainsi

que je vous ai dit, Crispe en an-
roit été bien aise dans l'esperance qu'il le viendroit encore atta-
quer, & qu'il pourroit le connoître quelque jour.

Je ne vous dis rien des repro-
ches obligeans que l'Empereur,
& tous ceux qui avoient la liberté de parler librement à Crispe lui firent, de s'être exposé contre un Inconnu, & en des lieux
où l'on pouvoit lui faire courir
tant de danger, étant si peu ac-
campagné ; je ne vous dis pas
non plus les raisons que Crispe leur apporta pour leur faire
avoüer qu'un jeune Prince ne
doit point user de tant de pré-
cautions en certaines rencontres,
à moins que de ménager trop sa
vie : je veux employer le temps
qui nous reste à vous apprendre
des choses plus importantes.

Le lendemain de cette grande

journée, Ablavius & moi allâmes trouver le Roi des Scythes ; à qui nous exposâmes notre commission, je lui rendis une **Lettre** que le Prince lui écrivoit, où il s'étoit servi de tout ce qu'il avoit cru pouvoir le toucher en sa faveur. Arsamis nous répondit qu'il recevoit un très - grand honneur du dessein qu'avoient l'Empereur & le Prince, & qu'il nous rendroit réponse après qu'il auroit fait sçavoir à son Conseil ce qui nous amenoit, ainsi qu'il croyoit y être obligé , pour ne choisir pas un successeur de ses couronnes, sans le consentement des principaux de ses Sujets. Il ajouta qu'ils s'estimeroient sans doute heureux d'obéïr un jour au plus grand Prince du monde.

Ablavius & moi entendîmes ce discours avec des sentimens bien opposez, je ne pouvois

vois cacher la satisfaction que j'en recevois dans la créance que Crispe obtiendroit enfin l'accomplissement de ses vœux, & le perfide Ablavius en étoit abatu de douleur, perdant alors toutes les grandes esperances qu'il avoit eu l'audace de concevoir.

Nous sortimes de la tente du Roi des Scythes avec ces differentes pensées, & nous avions déja passé à travers la plus grande partie de ses Gardes, quand nous entendîmes un murmure, & des cris qui ne marquoient rien de funeste, mais qui témoignoient des transports de joye & d'admiration qui alloient augmentant vers nous. Quelques momens après nous vîmes avancer quantité de soldats, d'officiers & des principaux de l'armée.

Après que nous eûmes exami-

né quelque temps ce qui caufoit ce tumulte, notre furprife
fut extrême de voir au milieu
d'eux Varandanes que les Romains & les Scythes avoient cru
morts. Encore que je l'euffe
plaint, j'accufai alors la fortune
qui l'avoit fait paroître avant
qu'Arfamis eût engagé fa parole
en faveur de notre Prince, ainfi
qu'il y avoit eu lieu de l'efperer.
Quelque diffimulé que foit Ablavius, il ne pût cacher une partie
de la joye que lui caufoit une
rencontre qui lui faifoit revivre
toutes fes audacieufes efperances.

Cependant j'envoyai un de
mes gens après Varandanes,
pour me rapporter comment Arfamis l'auroit reçû ; il revint
bien-tôt, & m'affura que ce foible Monarque avoit témoigné
à ce Prince autant d'affection

qu'il en avoit pû souhaiter ; je
m'étonnai alors qu'Arfamis n'eut
point fait paroître qu'il étoit of-
fensé contre lui d'avoir enlevé la
Princesse ; mais j'appris bien-tôt
par un Scythe , que lorsque Crispe fut entré dans le Navire de
Varandanes , quelques Persans
voyant leur Roi tombé dans un
grand évanoüissement , que ses
blessures & la longueur du combat avoit causé , le mirent secre-
tement dans la Chaloupe qu'ils
avoient descenduë du côté que
le Navire n'étoit pas investi par
celui de Crispe, & que pendant
que leurs compagnons ache-
voient de résister aux efforts des
Romains , ils s'éloignerent à la
faveur des tenebres sans être ap-
perçûs ; prirent terre avant le
jour, & porterent ce Prince dans
son Camp, où l'on ne lui trouva
aucune blessure mortelle. Ce

Scythe me dit auffi que Varandanes envoya prier Othmar &
les Principaux amis qu'il avoit
auprès du Roi des Scythes, de
faire accroire à ce Prince que
Crifpe l'avoit attaqué proche
l'embouchure du Fleuve Jaïch,
où il alloit accompagner la Reine & la Princeffe ; il ajouta
qu'il ne fut pas difficile à Othmar
& aux autres de perfuader Arfamis, à qui ils dirent enfuite
que Varandanes étant encore
en vie, l'Empereur ne pouvoit
pas s'offenfer, qu'il ne lui accordât point Hypante pour Crifpe
au préjudice de la parole qui
avoit été donnée au Roi de
Perfe, & que tous les Scythes
defiroient que Varandanes fut
préferé à notre-Prince, puifque
c'étoit plûtôt leur bien & leur
repos d'avoir la paix avec les
Perfans, qu'avec les Romains.

Qu'ils dirent aussi à Arsamis de
la part de Varandanes, qu'il lui
venoit une grande armée pour
opposer aux efforts de Constantin & de Crispe, & qu'Arsamis
par une facilité, ou par une foiblesse extrême, avoit consenti
que Varandanes se presentât à
lui, afin d'avoir un prétexte de
nous renvoyer sans accorder la
demande que nous lui avions
faite de la part de l'Empereur
& du Prince. Ce Scythe m'apprit aussi que celui qui s'étoit
battu la derniere fois contre Crispe, étoit Varandanes qui n'a-
voit point voulu se faire connoître.

Ce que je viens de vous dire
me donna de l'indignation contre Othmar & contre les autres
Scythes qui abusoient ainsi de
la facilité d'Arsamis, & n'eût
été la consideration de l'amour

de Crifpe, j'aurois rompu le premier traité, dont l'accompliffement ne pouvoit qu'être avantageux à ce foible Monarque; j'employai donc toute mon adreffe & tous mes foins pour lui faire connoître que Varandanes avoit enlevé Hypante, que Crifpe l'ayant délivrée de fes mains l'avoit remife dans le Fort de Jaïch, que cette verité lui feroit bientôt confirmée de la part de cette Princeffe & de la Reine. Je lui reprefentai enfuite ce qu'il devoit efperer de l'alliance de Crifpe, & ce qu'il pouvoit craindre s'il étoit en guerre avec Conftantin. Arfamis ébranlé de ces raifons, fit affembler de nouveau fon Confeil, où après bien des conteftatinns, il fut conclu qu'on devoit faire connoître à l'Empereur que le Roi des Scythes s'étoit enga-

gé de parole à celui de Perse
d'une maniere à ne pouvoir man-
quèr de la lui tenir, que la Princesse sa fille ne se fut entierement declarée en faveur de Crispe. Arsamis nous donna cette
réponse, & nous assura qu'il envoyeroit à la Reine pour faire
expliquer Hypante , & qu'il
croyoit qu'étant aussi irritée contre Varandanes qu'elle l'a devoit être, s'il étoit vrai qu'il l'eut
enlevée , comme je lui disois ,
sa réponse le dégageroit envers
ce Prince , & qu'alors il pren-
droit des mesures conformes aux
desirs de Constantin & de Crispe. Il nous dit d'autres choses
qui ne me satisfaisoient nullement, les jugeant peu capables
de contenter le Prince , & nous
nous en retournâmes après pour
rendre compte à l'Empereur de
notre negociation. Ce Monar-

que fut extrêmement irrité du
refus d'Arſamis & de ſa facilité
à ſuivre les ſentimens de quel-
ques-uns de ſes Sujets, que Varandanes avoit gagnez. Et dans
les premiers mouvemens de ſa
colere (ſans conſiderer qu'il
achevoit de remplir Criſpe de
douleur) voilà, Prince, lui dit-
il, l'effet de votre conduite ſi
genereuſe & ſi imprudente. Ce
Roi barbare auroit mieux reconnu la difference qu'il y a d'un
Empereur Romain à un Roi de
Perſe , & du fils de Conſtantin
au fils de Miſdate , s'il eut vû
la Reine & la Princeſſe des Scythes en ma puiſſance : mais, continua-t-il, comme s'il eut parlé
à Arſamis ; je me vengerai de
ton mépris, Monarque peu avi-
ſé, ſans que toutes les forces de
Varandanes te puiſſent garantir
de l'effet de mon juſte reſſenti-

ment. Il fit plufieurs autres me-
naces, emporté par toutes les
confiderations qui l'y pouvoient
obliger, & que vous comprenez
affez, après ce que je vous ai dit.
Crifpe jugea à propos de ne lui
rien répondre, & il fe tira de fa
prefence le plûtôt qu'il lui fut
poffible. Lorfque j'eus moyen de
lui parler fans témoins, je pris
la liberté de lui reprefenter que
l'Empereur avoit raifon de croire
que s'il n'eut redonné la liberté
à la Princeffe des Scythes, Arfamis & fon Confeil ne fe feroient point oppofez à fon bonheur : je lui dis que j'avois connu même que ce Prince auroit
fouhaité d'avoir eu un prétexte
envers Varandanes & envers fes
Sujets de lui accorder Hypante,
& j'ajoutai que la Reine & la
Princeffe ne lui auroient point
fçû mauvais gré de leur déten-

tion , ſçachant ſi bien le motif
qui le faiſoit agir.

Eſt-il poſſible , interrompit le
Prince en me regardant attenti-
vement , que Gallican ſoit veri-
tablement amoureux , & qu'il
ne connoiſſe point les beaux &
genereux ſentimens que la Princeſſe qu'il adore eſt capable de
cauſer ? Ah ! Gallican pouvez-
vous aimer & avoir des penſées ſi
déſavantageuſes pour les Amans
comme vous ? Mais non , reprit-il un peu après , je crois que
Gallican aime auſſi parfaitement
qu'il l'a témoigné tant de fois ,
ſans doute , ce qui l'empêche
d'approuver ma conduite eſt que
l'objet qui le charme n'eſt pas
aſſez malheureux pour lui donner des ſentimens tels que me
les inſpire l'infortunée Hypante.
Je ne m'étonne plus Gallican ,
continua-t-il, que l'amour veuil-

le si souvent assujettir ceux qui
aiment, à des déplaisirs & à des
malheurs, puisque ce n'est qu'alors
qu'on est capable des actions les
plus genereuses & les plus extraordinaires ? Aurois je pû voir,
reprit-il, la Princesse des Scythes dans la crainte d'être menée
en triomphe, ou seulement dans
le déplaisir de se voir captive, &
aurois-je pû souffrir qu'elle eût
soupçonné un seul moment que
j'étois capable de lui faire la plus
legere injure ? Non, non, divine Hypante, dit-il, par un transs-
port qu'il ne pût empêcher, ou
je serai à vous sans que vous puis-
siez me reprocher un crime sem-
blable, ou je choisirai plûtôt la
mort la plus cruelle avant que
de me résoudre à vous déplaire.
Je fus rempli d'admiration d'une
passion aussi parfaite que la sienne, & je compris alors, ou que

l'amour ne fçauroit donner de fi grands fentimens s'il ne trouvoit des cœurs auffi genereux que ceux du Prince, ou que fa vertu héroïque pouvoit le lui infpirer toute feule, fans le fecours de l'amour.

Ce Prince paffa la nuit fuivante dans d'étranges inquiétudes, & le lendemain il me dit qu'il frémiffoit de crainte dans la penfée que fi Arfamis contraignoit Hypante d'époufer Varandanes, comme il y avoit de l'apparence, elle feroit malheureufe toute fa vie; enfuite il ajouta par un effet d'une amour fi parfaite qu'elle n'a peut-être point d'exemple. O! divine Hypante, croyez qu'encore que mon cœur ne puiffe vous voir poffeder par mon rival fans mourir, fi ce cruel malheur eft inévitable, je ne laifferai pas de fouhai-

ter que vous foyez contente avec
lui ; mais apprenez , adorable
Princeffe , qu'auffi-tôt que j'aurai fait ce fouhait , je ne veux
plus vivre , pour n'avoir pas le
cruel déplaifir de voir mon rival
heureux : Cette mort, continua-
t-il , me fera cent fois plus douce que la vie que le malheur de
n'être pas à vous rempliroit de
défefpoir.

Son amour l'obligeoit non
feulement de faire des fouhaits
auffi extraordinaires;mais il acheva de me furprendre lorfqu'il
refufa à l'Empereur de porter les
armes contre Arfamis. Il eft vrai
qu'il accompagna ce refus de tant
de raifons que Conftantin ne s'en
pût offenfer , & il lui accorda
qu'il combattroit feulement le
Roi de Perfe contre qui il fit de
grandes chofes , que je ne vous
dirai pas de peur de rendre mon.

recit trop long. Avant que la
Tréve fut finie, il écrivit à la
Reine & à Hypante, pour leur
faire sçavoir le mauvais succès
de son entreprise, & qu'il avoit
fait consentir l'Empereur qu'il
ne porteroit point les armes contre le Roi des Scythes. Il sup-
plioit la Reine d'empêcher, selon qu'elle lui avoit promis, que
Varandanes triomphât de son
amour. La Lettre qu'il écrivit à
Hypante exprimoit si fortement
l'état déplorable de son ame, que
cette Princesse en fut extrêmement touchée, & résolut de
s'opposer plus qu'auparavant aux
prétentions de ce Prince.

Cependant Arsamis qui voyoit
que la guerre alloit recommen-
cer, étoit dans une double peine
de se voir de si puissans ennemis sur les bras; & dans ce temps,
la Reine lui fit sçavoir par un

Courier exprès , ce qu'elle &
Hypante devoient à Crifpe , &
la mauvaife foi du Roi de Perfe.
Comme il étoit affez foible pour
ne faire pas ce qu'il auroit été à
fouhaiter , il fut alors trop ennemi de fon repos , & de celui
de la Princefle fa fille , pour fuivre les mouvemens de fa raifon
qui lui confeilloit d'agir encore
pour Crifpe. Ainfi ne fongea-t-il
plus qu'à fe défendre rigoureu-
fement contre les Romains.

D'ailleurs Conftantin qui avoit
toujours dans l'efprit le deffein
d'époufer Faufte , & qui n'en
trouvoit point de moyen plus
fûr qu'en contentant la paffion
de Crifpe , fongeoit inceffamment comme il pourroit r'avoir
Hypante par la force, puifqu'il
n'avoit pû l'avoir par un traité.
D'abord il jugea que s'il battoit
Arfamis , & fi Crifpe vainquoit

Varandanes , il contraindroit ce premier à faire la paix par le mariage qu'il defiroit ; mais comme il voyoit qu'il y avoit trop de longueur & trop d'incertitude dans ce deffein , joint que le Roi de Perfe pouvoit époufer Hypante avant le renverfement de fes affaires , il condamna cette premiere penfée , aufli-bien que plufieurs autres qu'il eut enfuite ; & il réfolut enfin de faire préparer une grande armée de mer le plus fecretement qu'il lui feroit poflible , fous prétexte qu'il vouloit l'envoyer en Medie pour faire diverfion d'Armes , & pour vaincre plûtôt Varandanes. Il ne fe communiqua ni à Crifpe , de peur qu'il ne s'opposât à la capture d'Hypante ni à Ablavius dont il connoiffoit les deffeins pour fa Fille ; mais il fe declara à Delmatius.

Ce

Ce Prince aimoit trop Crifpe
pour n'embraffer pas avec ardeur
toutes les occafions qui pouvoient
fervir à fon amour , quoiqu'il
connut que fa générofité lui feroit condamner cette action ;
mais il crût que lorfqu'il l'auroit executée le Prince en reti-
reroit trop d'avantage pour ne lui
pas pardonner d'avoir agi de la
forte : d'ailleurs comme il aimoit
Melanthie Princeffe de Perfe, &
que la grande amitié qu'elle avoit
pour Crifpe lui avoit donné tant
de fois de la crainte , qu'elle ne
fe changeât en amour , & qu'il
haïffoit Varandanes dont cette
Princeffe avoit été maltraitée ,
il fe porta aifément à cette entreprife ; ainfi l'Empereur & lui
fe conduifirent fi prudemment ,
que l'armée navale fut prête en
peu de jours, & partit fans qu'aucun foupçonnât rien de leur deffein.   S

Conſtantin ne preſſoit point
Arſamis de peur de l'irriter, &
il feignoit de vouloir prendre ſon
temps pour le ſurprendre, &
pour épargner le ſang des Romains, qui ne ſe répandoit qu'en
des eſcarmouches & en des pe-
tits combats ; mais Criſpe pouſ-
ſoit vigoureuſement le Roi de
Perſe pour empêcher au moins
que la Princeſſe ne rendit heureux ſon rival. Il avoit déja enlevé pluſieurs quartiers à ce Prince, & lui avoit fait dire de ſe
battre ſeul à ſeul ; ce que Varandanes auroit bien voulu, mais
ſes Sujets l'obſervant continuel-
lement, il ne pût jamais ſe dé-
rober d'eux.

Cependant le vent étant favorable, l'Armée de mer des Romains étant arrivée au Fort du
Fleuve Jaïch, Delmatius envoya
faire civilité à la Reine & à la

Princeſſe des Scythes avant que
de rien entreprendre , & leur fit
dire que Criſpe ne ſçavoit rien
de ſa venuë , l'Empereur l'ayant
ainſi ordonné. Parmi les Officiers qui commandoient dans ce
Fort , il y en avoit pluſieurs affectionnez à Varandanes , qui
crurent , ou feignirent de croire,
que cette entrepriſe étoit de l'ordre de Criſpe , qui vouloit faire
enlever la Princeſſe ſans paroître qu'il y eût conſenti pour ne
pas l'irriter contre lui. Cette im-
poſture fit quelque effet ſur l'eſprit de la Reine ; & lorſque la
Princeſſe voulut lui repreſenter,
qu'après avoir été deux fois en
la puiſſance de Criſpe , il n'y
avoit point d'apparence qu'il lui
eût rendu la liberté pour la lui
ravir : Ne vous y trompez pas,
ma fille , repliqua la Reine,
quelque connoiſſance que j'aye

de la vertu du Prince des Romains, je sçai que les Amans ne
font pas toujours si genereux. Ce
qui s'oppose à leurs désirs les fait
souvent changer de sentiment,
Crispe a pû croire que les grandes obligations que vous lui avez,
devoient avoir touché le Roi,
& comme nous avons avis par
lui-même, & par d'autres voyes,
qu'Arsamis s'abandonne à la
conduite d'Othmar, & qu'il voit
qu'il ne sçauroit rien gagner que
par la violence, il s'y est fans
doute résolu, & il la pâlie le
plus qu'il lui est possible. Je ne
pense point me tromper, continua la Reine. Puisque ce Prince a eu le moyen de nous faire
sçavoir la facilité du Roi en faveur de Varandanes, & la suite
de la colere de Constantin; s'il
étoit dans ses premiers sentimens
de générosité pour vous, il de-

voit nous avoir averties de l'entreprife qui fe faifoit contre notre liberté, afin que nous puf-
fions nous en garantir du moins
par la fuite. Elle lui dit encore
d'autres raifons qui perfuaderent
prefque Hypante pour un temps,
mais lorfqu'elle r'appella dans
fon fouvenir le procedé genereux de Crifpe en tant de rencontres, & cette franchife admirable qui paroiffoit dans toutes fes paroles & dans fes moindres actions, fon cœur ne le condamnoit plus, & elle fe figuroit
que Delmatius, pour des confiderations qu'elle ignoroit, devoit avoir agi fans l'ordre du
Prince ; néanmoins elle n'ofoit
dire fa penfée à la Reine, qui
malgré fes foupçons, ne pouvoit
haïr Crifpe, & l'excufoit fur la
violence de fa paffion qui le faifoit
agir d'une maniere fi extraordi-

naire. Cependant encore qu'elle
aima mieux que fa fille fut captive des Romains, pour obliger
Arfamis de confentir au mariage de Crifpe, plûtôt qu'à celui
de Varandanes, elle ne laiſſa
pas d'encourager tous ceux qui
étoient dans le Fort à une défenfe vigoureufe, & de fe préparer à la fuite par un chemin
fous terre, qui alloit jufques à la
petite Forêt, qui eſt à demie lieuë
du Fort. Elle envoya même diverfes perfonnes par ce chemin
caché pour aller chercher du fecours des Scythes voifins, tant
pour fe jetter dans le Fort, que
pour fe tenir dans la Forêt où ce
chemin aboutiſſoit, afin que fi
elles fe trouvoient contraintes de
fuïr, ils puſſent les garantir de
tomber en la puiſſance des Romains.

Delmatius les obligea bien-

tôt à prendre ce parti. Le Fort
n'avoit pas affez de monde pour
foutenir à la fois les attaques du
côté de la riviere & de celui de la
terre ; & comme il les preffoit
inceffamment, pour l'emporter
avant que le Roi des Scythes
eut envoyé du fecours aux Princeffes : le foir du quatriéme jour
après fon arrivée , il y fit donner un affaut general avec tant
de furie , que les Romains s'en
rendirent maîtres. En même
temps , Delmatius fit chercher
la Reine & la Princeffe ; mais il
n'en pût avoir d'autre nouvelle ,
finon qu'elles étoient encore
dans le Fort lorfque l'affaut s'é-
toit donné. Il envoya prompte-
ment de tous côtez après elles,
même il y voulut aller en per-
fonne , ne craignant rien pour
le Fort qu'il avoit pris à caufe de
l'éloignement des armées des

Scythes & des Perfes , & parce qu'il laiſſoit encore aſſez de monde pour le garder. Preſque toute la nuit fut employée à cette recherche, & fur le jour, Delmatius qui connut qu'il n'avançoit rien , voulut s'en retourner occupé de diverſes penſées qui l'affligeoient. Il n'avoit pû achever ce que l'Empereur deſiroit avec tant d'ardeur, & il avoit fujet de craindre que Criſpe lui ſçauroit mauvais gré de fa conduite, d'autant plus qu'il ne pouvoit l'appaiſer par la vûë d'Hypante.

Il étoit déja en vûë du Fort lorſqu'il entendit un grand bruit d'armes & de perſonnes ; il s'avança avec ſa troupe du côté que ce bruit venoit , & à la clarté du jour qui commençoit feulement à paroître , il découvrit une forêt , où ce bruit fe faiſoit : il
pouſſa

pouſſa ſon cheval de ce côté , &
il ne fut pas plûtôt dans le bois
qu'il lui ſembla de loin voir fuir
des hommes & des femmes à
pied ; comme il ſe preſſoit pour
les atteindre , il en fût détourné
à la vûë de trois femmes , qui
couroient vers le lieu d'où il venoit. Ces femmes ne l'eurent pas
plûtôt apperçû , qu'une d'elles
en ſe détournant : En voilà d'autres , Madame , s'écria-t-elle toute effrayée , fuyez dans l'épaiſ-
ſeur du bois. Delmatius mit alors
pied à terre , & arrêta une des
deux , à qui la premiere avoit
adreſſé la parole , pendant que
ſes gens arriverent & ſe ſaiſirent
des deux autres.

Delmatius n'avoit jamais vû
que le portrait d'Hypante , &
vous ſçavez qu'ordinairement
cela ne ſuffit pas pour faire reconnoître une perſonne , ſurtout

quand elle eſt effrayée & en dé-
ſordre : mais il a avoüé depuis,
que s'il n'eût même jamais vû
le portrait de cette Princeſſe, il
n'auroit pas laiſſé de la connoître à cette beauté enchantée qui
le ſurprit tellement, qu'il fut
d'abord rempli d'un profond reſpect : & après avoir reculé quelque pas; Pardonnez, grande Princeſſe, dit-il, ſans pouvoir s'empêcher de ſe repentir de la violence qu'il lui avoit faite, pardonnez ſi l'obéïſſance que je
dois aux ordres du grand Conſtantin me contraint de vous
arrêter, & de vous mener vers
lui : mais en même temps aſſu-
rez-vous, Madame, que je ren-
drai ce que je dois à votre rang
& à votre merite, quand même
la connoiſſance que j'ai que Criſpe vous adore ne m'y obligeroit
pas.

A ce nom de Crispe Hypante se troubla, & soupçonna alors qu'il n'eut sçû, & peut-être qu'il n'eut ordonné la violence qu'on lui faisoit. Ce Prince, dit-elle, me donne presentement des marques de son estime peu conformes aux premieres. Ne le condamnez pas, Madame, reprit Delmatius, il n'a nulle connoissance de cette entreprise. Alors il lui assura cette verité avec tant de sermens, que la Princesse des Scythes n'en douta presque plus.

Lorsqu'elle vit qu'on la vouloit remener au Fort de Jaïch, elle demanda qu'on la joignit avec la Reine qu'elle croyoit qu'on avoit arrêtée, aussi bien qu'elle (car elles avoient été separées par l'attaque impetueuse des Romains sur les Scythes qui avoient reçû ces Princesses

à la fortie du chemin caché)
Delmatius fit demander en vain
à tous les fiens s'ils avoient vû la
Reine , & à ceux mêmes qu'il
avoit trouvez aux mains avec
les Scythes , qui avoient pris la
fuite à la vûë de fa troupe. L'on
crût alors qu'elle s'étoit cachée
parmi les arbres , ce qui obligea Delmatius de laiffer des gens
pour la chercher ; & après qu'il
eut fait enlever les Scythes bleffez , il prit le chemin du Fort
pour fe préparer à s'en retourner
au plûtôt vers l'Empereur, craignant qu'Arfamis n'y envoyât
des troupes , & qu'il ne fût contraint de ne partir pas auffi-tôt
qu'il voudroit.

Peu d'heures après , ceux qu'il
avoit envoyés les premiers pour
atteindre la Reine & la Princeffe
des Scythes , revinrent tous ; mais
ceux qu'il avoit laiffez dans la

forêt pour chercher la Reine,
lui apprirent qu'ils l'avoient trou-
vée, & qu'ils l'emmenoient sans
qu'elle fît aucune resistance, lorsqu'on l'eut assurée que la Princesse sa fille avoit été arrêtée,
mais qu'un gros de Scythes qui
étoient beaucoup plus en nombre qu'eux, les avoit attaquez, &
après avoir tué la plûpart de leurs
compagnons leur avoient enlevé la Reine qui avoit obligé ces
Scythes de les laisser en liberté.

Ils ajouterent que cette Princesse les avoit priez de dire à Hypante de ne s'affliger point, &
qu'elle auroit bien-tôt de ses
nouvelles, puisqu'elle alloit tra-
vailler pour tâcher de mettre
d'accord Constantin avec Arsamis.

Hypante & Delmatius apprirent le dessein de la Reine avec

beaucoup de satisfaction ; & la
diligence incroyable que firent
les Romains, leur donna moyen
de s'embarquer & de partir le
soir même. Delmatius abandonna le Fort aux Scythes qu'il ne
voulut pas emmener, excepté les
domestiques de la Princesse.
Comme on avoit crû dans le
Camp des Romains, que l'armée
Navale étoit allée en Medie
pour faire diversion d'armes, on
fut étonné de la voir revenir si-
tôt, & on le fût encore davantage quand on vit la Princesse
des Scythes.

L'Empereur qui avoit été averti du succès de cette entreprise,
fit venir Crispe du lieu où il étoit
occupé contre Varandanes; & lui
dit avec un visage contant, Vous
connoîtrés aujourd'hui, mon
Fils, que l'amour que je vous porte est encore plus grande que

vous n'avez crû ; cessez de craindre l'adresse de Varandanes , &
la foiblesse d'Arsamis ; cessez
même de craindre la soumission
d'Hypante aux volontez du Roi
son Pere : j'ai trouvé le moyen
de vous délivrer de toutes ces
craintes , & de vous rendre heureux par la possession de ce que
vous aimez : Hypante est dans
le Camp. Hypante est dans le
Camp ; dit le Prince en chan-
geant de couleur par un trouble
secret de joye & d'étonnement
qui le saisit à cette nouvelle ;
& par qu'elle avanture, Seigneur,
continua-t-il , y peut-elle être
venuë? Oüi, mon Fils, elle y est,
répondit Constantin , & vous devez ce bien à mes ordres , & à
Delmatius qui les a executez
avec tant de bonheur. Le Prince
ne sçachant quel mouvement
étoit maître de son ame , ou la

crainte qu'Hypante fut affligée
de sa captivité , ou la joye qu'il
devoit avoir de ce qu'il étoit si
proche d'elle , courut où sa paf-
sion le conduisit pour voir cette
Princesse qu'il trouva seule avec
ses Filles. Aussi-tôt qu'il la vit,
il se troubla de respect & d'a-
mour , & lui dit en tremblant;Je
ne sçai , Madame , quel mouvement est presentement le maître
dans mon cœur , ou de la cainte
que vous ne soyez pas bien aise
d'être une seconde fois parmi
nous sans que j'y aye contribué ,
ou de la joye que votre presence
me cause , surtout vous voyant
garantie de la passion violente
d'un Prince que vous n'avez pas
sujet d'aimer. Encore qu'Hypante eût justifié Crispe jusques
alors dans son cœur , & que ce
Prince exprimât son veritable
sentiment , elle découvrit une

fi grande joye fur fon vifage,
qu'elle s'imagina qu'il auroit paru plus trifte s'il n'eut contribué
fecretement à la violence qu'on
lui avoit faite : cette penfée fit
qu'elle le reçût plus froidement
qu'elle n'avoit accoûtumé.

Crifpe qui connut l'injuftice
qu'elle lui faifoit , tâcha de la
défabufer en lui racontant tout
ce que Delmatius avoit fait fans
le lui avoir communiqué. La
Princeffe ne fut pas néanmoins
encore fatisfaite de lui , même
elle lui reprocha en termes cou-
verts, que fa fatisfaction en cette
rencontre témoignoit qu'il avoit
fouhaité que Dalmatius en eut
ufé comme il avoit fait. Crifpe
qui fe connoiffoit fi éloigné de
ce fentiment , & qui fouffroit
une douleur mortelle de voir
cette Princeffe dans une pareille
erreur : Quoi ! Madame , lui dit-

il en se jettant à ses pieds, parce
que j'ai paru rempli de joye lorsque je vous ai revûë, vous pouvez vous persuader que j'ai recherché ce bien par la voye dont
l'Empereur s'est voulu servir
pour des raisons que je n'oserois
vous dire tant que vous me croi-
rez mériter votre indignation.
L'excès de sa douleur étoit si
grand, qu'il ne pût dire que ce
peu de paroles, durant qu'il soû-
piroit à tous momens, & qu'il
regardoit la Princesse d'une maniere à inspirer la pitié aux plus
insensibles.

Après qu'il eut demeuré quelque temps dans cette tranquillité apparente, & qui lui étoit si
dangereuse, sans qu'Hypante
en fut émûë, il fit un effort extraordinaire sur soi même, &
s'étant relevé: Puisque toutes mes
actions passées, dit-il, n'ont pû

vous empêcher de foupçonner,
que j'aye ofé vous offenfer, vous
allez voir, Madame, ce que je
veux entreprendre pour vous faire perdre cette opinion. Vous
ferez libre encore une fois, Madame, continua-t-il avec plus
d'émotion qu'auparavant, quand
je devrois périr dans cette entreprife; & fi je ne puis vous tenir ma parole, je fuis refolu à
une chofe qui vous empêchera
de me croire jamais capable que
de vous plaire. A ces mots Crifpe fortit de la chambre d'Hypante fans attendre fa réponfe.

Cette Princeffe qui avoit reconnu encore mieux dans les
yeux & fur le vifage de ce Prince la fincerité de fes paroles fut
bien-tôt défabufée, & fut mar-
rie même de lui avoir caufé tant
de déplaifirs.

Elle fongeoit à lui avoüer fon

erreur à la première rencontre, lorfqu'on la vint avertir
que l'Empereur venoit lui rendre vifite : Elle fe difpofa à le recevoir fans témoigner le reffen-
timent qu'elle avoit contre lui
de l'avoir fait enlever. Après que
ce Monarque fut entré, & qu'il
l'eut faluée avec tout le refpect
qui lui étoit dû ; Je vous fupplie
de croire, Madame, lui dit-il,
que je ne me ferois jamais porté
à vous obliger de revoir le Camp
des Romains, fi je n'euffe eu le
deffein de vous faire leur Souveraine lorfque vous y voudrez
confentir. Ce difcours troubla
Hypante ; mais comme elle s'é-
toit préparée à l'entendre, elle
fut bien-tôt remife, & répondit
à Conftantin: Ce n'eft pas de moi,
Seigneur, que vous devez tirer
ce confentement ; je ne puis rien
choifir que par la volonté du Roi

mon pere. Ce n'est auffi qu'à
cette condition que je vous par-
le , repliqua l'Empereur ; mais
pour vous voir délivrée de l'im-
portunité du Roi de Perfe , &
pour la gloire & le repos de Crifpe , j'efpere que vous ne vous op-
poferez pas à fon bonheur. Hypante ne pouvant éviter de répondre ; Le mérite du Prince des
Romains eft fi grand , dit - elle
avec beaucoup de confufion , &
les obligations que je lui ai font
fi extraordinaires , qu'elles trou-
veront toujours en moi toute
l'eftime & toute la reconnoiffance dont je fuis capable : Mais ,
Seigneur , je dois vous dire que
je n'ai jamais eu les moindres défirs qui n'ayent été reglez fur
ceux du Roi mon pere , & que
s'il ne me détermine , je ne me
déterminerai jamais. Une fi fage
réponfe plût à Conftantin qui

admira la vertu & la prudence
de cette Princeſſe , & n'oſant la
preſſer davantage , il la laiſſa rê-
ver en liberté à ce qu'il lui avoit
dit.

Arſamis qui avoit appris ce
qui étoit arrivé à Hypante , envoya le ſoir même offrir à Conſtantin une grande rançon pour
cette Princeſſe. Ce Monarque
répondit qu'il eſtimoit plus Hypante que toute la Scythie ; qu'il
falloit parler d'autre choſe que
de rançon , & que cette Princeſſe bien loin d'être priſonniere , étoit regardée des Romains
comme leur Souveraine : & pour
confirmer ce qu'il diſoit , il envoya Ablavius & moi vers Arſamis , pour parler encore du mariage de Criſpe & d'Hypante.

Arſamis toujours obſedé par
ſon favori , nous dit qu'il ne pouvoit traiter avec honneur d'une

pareille affaire qu'on ne lui eut
rendu Hypante , & qu'alors
il feroit plus de confideration
qu'on ne croyoit de la propofition que nous lui avions faite de la
part d'un aufli grand Monarque,
& que s'ils ne peuvoient s'accorder , il lui promettoit de lui remettre la Princeffe fa fille en fa
puiffance , comme étant prifonniere felon les formes de la
guerre.

Nous nous en retournâmes
avec cette réponfe qui ne fatisfit
nullement Conftantin , & qui
l'offença même. Alors ce Prince
jugeant qu'il n'avanceroit rien
par la douceur, réfolut de mener
Hypante à Bizance pour l'obliger d'époufer Crifpe , ou pour
faire que Faufte perdit l'efperance d'être aimée de ce Prince.

Crifpe apprit de l'Empereur
même , qu'il devoit fe préparer à

s'en retourner en peu de jours
avec lui, & que l'armée devoit
rester en Scythie pour s'opposer
aux efforts d'Arsamis & de Varandanes. Il me seroit très-diffi-
cile de vous apprendre quel déplaisir fût le sien, & le combat
qui se fit dans son ame. Helas!
disoit-il, ou il faut que je me sé-
pare pour jamais d'Hypante, ou
il faut que je l'offense, & que
je lui fasse croire que j'ai bien
voulu l'offenser. Mais il vaut
mieux être malheureux que coupable, reprit-il, délivrons là encore une fois, & faisons pour le
moins qu'elle plaigne mon malheur, plûtôt que si elle m'accu-
soit de crime. Quoi! reprit-il un
peu après, puis-je choisir de la
perdre, & de la voir posseder
par Varandanes qu'elle n'aime
point! mais aussi, puis-je me resoudre à l'offenser, à lui manquer

quer de parole , & à devenir
coupable ? O que les interêts
de mon amour & de ma gloire
sont opposez, & qu'ils déchirent
cruellement mon ame ? Helas !
qui dois - je écouter des deux ,
poursuivit-il , puisqu'il n'est plus
temps que j'espere de vaincre la
passion que j'avois si long-temps
évitée ? Helas ! qui dois - je suivre ? Il s'arrêta à ces paroles , &
après avoir rêvé profondément
à la résolution qu'il lui falloit
prendre , je m'abuse , reprit-il ,
je m'abuse de croire que l'amour
& la gloire ne s'accordent point.
Je choque l'un & l'autre, si je ne
fais tous mes efforts pour délivrer Hypante ; & je satisfaits
toutes les deux, si je la délivre :
l'amour est parfaite lorsqu'elle
ne regarde que l'objet aimé , &
la gloire est entiere lorsqu'elle
fait agir sans interêt.

V

Crifpe fe confirma de la forte
dans fa premiere réfolution , &
pour l'exécuter , il la communiqua dès le foir même à quelques
Officiers à qui il fe confioit entierement. Après avoir donné
ordre à tout , il alla trouver la
Princeffe ; & fans lui ofer parler
du deffein que l'Empereur avoit
fait, de la mener à Bifance : Madame , lui dit-il , enfin je fuis
prêt de vous remettre aujour-
d'hui dans le Camp des Scythes
ainfi que je vous ai promis. Hypante remplie d'admiration d'un
procédé fi noble , lui donna des
marques de fa reconnoiffance ,
par des paroles les plus obligean-
tes qu'elle pût choifir , & lui demanda pardon même d'avoir pû
foupçonner qu'il eût contribué
à fa captivité. Eft-il poffible, Madame, dit alors Crifpe , que vous
ayez de telles penfées de moi , &

que vous puilliez vous réjoüir
de m'abandonner à ma douleur
& à mon défefpoir ? Que fi ce
n'étoit que pour être auprès du
Roi votre pere & de cette admirable Reine à qui je dois tant,
je me confolerois peut-être par
la confideration que votre joye
eft jufte ; mais helas ! le puis-je
penfer fans mourir ? & le puis-je
dire fans exciter votre pitié? Vous
n'oubliez pas que Varandanes
vous a offenfée ; vous fçavez trop
qu'il va être heureux felon toutes les apparences, par l'obéïf-
fance que vous rendrez fans
doute aux volontez d'Arfamis,
& cependant vous allez vers lui
avec toutes les marques d'une
fatisfaction extraordinaire. Que
vous a-t-il fait pour le rendre
heureux, cet Amant qui a été fi
infidele à Oraminde, & qui n'a
jamais eu que des fentimens

V ij

d'interêt dans l'amour qu'il sent
pour vous? Ou plûtôt que ne vous
a-t-il point fait pour ne pas de-
firer de ne le voir jamais? Et que
vous a fait Crifpe, cet Amant
fi fidele & fi infortuné pour vous
voir l'abandonner fans regret &
avec un air contant? Allez,
Madame, pourfuivit-il en fe
jettant à genoux; allez faire
triompher l'heureux Varandanes du malheureux Crifpe. Je
vous demande, non point par
tout ce que j'ai fait pour vous,
mais par tout ce que vous voyez
que je ferois capable de faire,
que vous appreniez ma mort,
avant que de contenter l'amour
& l'ambition du Roi de Perfe.
Que fi vous ne me donnez cette
legere fatisfaction, j'acheverai
mes trifes jours un moment après
vous avoir remife au Roi votre
pere.

Hypante écoutoit le discours
passionné du Prince avec tout le
ressentiment qu'elle devoit ; &
si elle avoit paru satisfaite de le
quitter , ce n'étoit que parce
qu'elle sçavoit que son devoir
& sa modestie l'y obligeoient.
Elle avoit d'ailleurs beaucoup de
peine de voir souffrir un Prince
qui l'aimoit d'une maniere si extraordinaire & si parfaite ; & son
cœur souffroit en secret, les maux
que l'aversion qu'elle avoit pour
Varandanes , & l'inclination
qu'elle avoit pour Crispe , lui
causoient. Aussi quoiqu'elle ne
voulut pas declarer au Prince
tout ce qu'elle ressentoit de favorable pour lui, elle se conten-
ta de l'assurer que sa satisfaction
n'étoit que l'effet de son devoir ,
& que non seulement elle avoit
du déplaisir de songer qu'elle re-
verroit Varandanes, mais qu'el-

le ofoit efperer qu'Arfamis ne la
rendroit pas malheureufe lorfque la Reine & elle auroient
parlé plus librement qu'elles
n'avoient encore fait contre un
tel Prince.

Quoique cette fage Princeffe
ne dit rien, ce femble, à Crifpe
de trop obligeant, il fut confolé
en partie de fon déplaifir, & il
jugea qu'un difcours femblable
étoit tout ce qu'il devoit efperer
d'une vertu délicate comme celle d'Hypante. Cependant on le
vint avertir que c'étoit le temps
d'exécuter ce qu'il avoit réfolu;
Crifpe pâlit alors fans lui en ofer
dire le fujet, la violence qu'il fe
faifoit de la délivrer & de la perdre, le mettoit en un état le plus
déplorable où il fe fût jamais
trouvé. Hypante qui le reconnut lui en fçût bon gré. Mais
lorfqu'ils alloient fortir de la ten-

te de cette Princesse, un Capitaine des Gardes de l'Empereur
entra, & dit au Prince qu'il avoit
ordre d'empêcher que personne
autre que lui en sortir.

Après que cet Officier eut exposé sa commission, il s'excusa à
Hypante de ce qu'il étoit obligé
d'obéïr à l'Empereur en une chose qui ne devoit pas lui être agréable ; & lui apprit qu'un de ceux
à qui Crispe s'étoit confié avoit
declaré leur dessein. Ce contre-
temps ne donna pas plus de déplaisir à Hypante qu'il en causa
à Crispe qui fut trouver l'Empereur de ce pas. Ce Monarque irrité se plaignit fortement de la
témerité de son entreprise, &
écouta à peine sa justification qui
étoit fondée sur ce qu'il devoit à
la grandeur de son amour, & aux
désirs d'une Princesse à qui il
vouloit & devoit se rendre agréa-

ble par toutes les voyes les plus
difficiles.

La colere de l'Empereur ne
pût détourner que ce parfait
Amant ne montrât à Hypante
jufques où pouvoit aller la réfolution qu'il avoit de la fatisfaire. Il n'eût pas plûtôt quitté
ce Monarque qu'il fût retrouver
cette Princeffe : Puifque j'ai été
trahi, Madame, lui dit-il, lorfque j'étois fur le point de vous
rendre la liberté, toute la terre
va voir avec vous ce que je fuis
capable de faire pour fatisfaire
à vos défirs. La gloire que j'aurai
de vous avoir fervie me payera
la douleur , & la mort même
que me caufera votre perte. Il
s'en alla après ces paroles fans attendre la réponfe d'Hypante qui
ne fçavoit quelle étoit la réfolution du Prince. Mais comme
elle le connoiffoit rempli de générofité

nérosité & d'amour, elle craignoit
extrêmement ou qu'il s'exposât
à quelque grand danger pour la
délivrer encore, ou qu'il irritât
si fort l'Empereur qu'il ne pût
plus l'appaiser.

Ces fâcheuses considerations
la faisoient trembler, de sorte
qu'elle accusa plusieurs fois son
mauvais destin qui engageoit à
tant de déplaisirs & à tant de périls, un Prince qui lui étoit déja
si cher. Elle passa une grande
partie de la nuit dans des craintes contiuelles ; & il étoit déja
grand jour sans qu'elle eut encore pris un moment de repos,
lorsqu'Eurileon demanda assez
haut à ses femmes, si elle étoit
éveillée. Hypante qui l'entendit, commanda qu'on le fit entrer, Eurileon lui ayant obéï, il
lui parut si troublé qu'elle en fut
aussi troublée. Quelles mauvai-

ſes nouvelles avez-vous à me donner Eurileon, lui dit-elle en tremblant, ne me déguiſez rien; mon cruel deſtin veut que je ſois préparée à tout ce qu'il a réſolu de faire contre moi : Eſt-il arrivé quelque malheur au Roi ou à la Reine ? Non, Madame, répondit Eurileon en ſoupirant ; mais celui qui a tant fait de choſes pour vous, le plus grand Prince du monde, l'infortuné & le genereux Criſpe, eſt ſans doute, mort à cette heure. Ces cruelles paroles ſaiſirent Hypante d'une ſi vive douleur, qu'après avoir dit en s'écriant, Criſpe eſt mort, Criſpe ne vit plus, elle tomba en défaillance. A peine tous les ſoins de ſes femmes la pûrent remettre. Ah! Eurileon, quelle funeſte nouvelle m'avez-vous donnée, dit-elle, après qu'elle eût la force de parler ; Mais appre-

nez - moi qui a pû vaincre ce
Prince invincible , continua -
t - elle , fans donner le temps à
Eurileon de lui répondre. Per-
fonne n'a eu cette gloire , répondit Eurileon. Mais ce Prince
qui vous a aimée avec tant d'ardeur & de perfection vient de
vous en donner des marques plus
grandes que les premieres , quoiqu'elles paruffent incomparables.
Comme il n'avoit pû vous remettre encore une fois en liberté , il a voulu s'aller rendre pri-
fonnier du Roi votre pere : néanmoins l'Empereur ayant fçû , ou
foupçonné fa réfolution , le faifoit fi bien obferver, que lorfqu'il
a été prêt de fortir du Camp les
Gardes que ce Monarque avoit
fait mettre de ce côté à ce deffein , fe font oppofez à fon paffage.

Crifpe pouffé du défir de vous

témoigner la grandeur de son
amour les a forcez malgré leur
réfiftance ; mais defcendant à
toute bride par le penchant de la
coline qui eft au bout du Camp
des Romains , fon cheval qui
étoit déja fort bleffé eft tombé
fous lui, & avant que de mourir,
il l'a entraîné jufques à la plaine , où l'on a trouvé ce Prince
tout froiffé & bleffé griévement
à la tête. Cet accident qui a fait
un très-grand bruit , & qui a mis
en confternation toute l'armée,
m'a attiré dans fa Tente où l'on
le portoit. Il a demeuré long-
temps fans connoiffance , & lorfqu'il eft revenu à foi , les premieres paroles qu'il a dites, il me
les a adreffées ; Eurileon , faites
fçavoir , je vous prie , m'a-t-il dit,
à la Princeffe que j'adore , que
je fuis très-glorieux d'être en cet
état pour elle , & que je fuis très-

malheureux que ma mort lui foit
inutile. Il a proferé ces mots
avec beaucoup de peine ; après
étant retombé en défaillance, les
Medecins ont fait fortir de fa
chambre toutes les perfonnes
inutiles. J'ai crû, Madame, vous
devoir apprendre ce grand malheur, puifqu'on n'auroit pû vous
le cacher long-temps.

Pendant le difcours d'Eurileon, Hypante ne pouvoit fup-
porter la douleur que ce funefte
recit lui caufoit, & bien que fa
grande retenuë l'empêchât d'é-
clater entierement, elle en témoignoit encore affez pour faire
une extrême pitié à ceux qui la
voyoient en ce trifte état. Je vous
laiffe imaginer tout ce qu'elle
pût dire & penfer en une fi cruelle conjoncture, & quoique vous
puiffiez vous reprefenter, ce ne
fera encore que la moindre par-

tie de ſes ſouffrances. Après que
cette Princeſſe infortunée eut
donné ce qu'elle ne pouvoit re-
fuſer aux premiers mouvemens
de ſa douleur, elle commanda
à Eurileon d'aller apprendre ſi
Criſpe étoit encore en vie, & le
jugement qu'en faiſoient les Medecins. Quoi qu'Eurileon crut
qu'il fut déja mort, il ne laiſſa
pas de lui obéir. Alors cette Princeſſe ſe voyant en liberté, & con-
ſiderant qu'elle étoit la cauſe,
quoi qu'innocente, du malheur
de Criſpe, s'abandonna à ſa douleur avec tant d'excès, qu'Oxia-
ne craignit pluſieurs fois qu'elle
n'expirât.

Fin de la ſeconde Partie.

Imprimé en France
FROC032014121120
25698FR00015B/378